STRAEON GWIL PLAS

28/10/2009

*Aelod newydd i gwmni drama Llwyndyrys
(yr holl ffordd o Madame Tussauds!)*

Straeon Gwil Plas

Hunangofiant Gwilym Griffith
Plas Newydd, Llwyndyrys

Gol: Ioan Roberts

Diolch

*I Myrddin am roi perswâd arnaf fod gen i rywbeth gwerth ei ddweud,
ac i'w gydweithwyr yn y Wasg am eu cefnogaeth a'u gwaith graenus.*

I Ioan am roi trefn ar fy meddyliau carlamus.

Argraffiad cyntaf: 2010

ⓗ testun:Gwilym Griffith a Ioan Roberts/y cyhoeddiad Gwasg Carreg Gwalch

Rhif rhyngwladol: 978-1-84527-345-3

Mae'r cyhoeddwr yn cydnabod cefnogaeth ariannol
Cyngor Llyfrau Cymru

Cynllun clawr: Sion Ilar

Cyhoeddwyd gan Wasg Carreg Gwalch,
12 Iard yr Orsaf, Llanrwst, Conwy, LL26 0EH.
Ffôn: 01492 642031 Ffacs: 01492 641502
e-bost: llyfrau@carreg-gwalch.com
lle ar y we: www.carreg-gwalch.com

Argraffwyd a chyhoeddwyd yng Nghymru.

I'r wyrion

a'r wyresau i gyd

Brian

Ar yr olwg gyntaf, roedd gwasanaeth angladd Brian Glanrhyd yn ddigon tebyg i unrhyw un arall: capel gorlawn, emynau Cymraeg cyfarwydd, y straeon yn llu a chwerthin yn lliniaru'r hiraeth. Ond doedd y cynhebrwng, mwy na Brian ei hun, ddim yn dilyn confensiwn. Ar yr un adeg yn union â'r gwasanaeth yr oeddwn i ynddo, roedd galarwyr ar gyfandir arall yn canu'r un emynau, yn darllen yr un adnodau ac yn rhannu'r un atgofion am yr un cymeriad. Dim ond y gynulleidfa honno a welodd yr arch yn cael ei gollwng i ddaear Pentreuchaf. Roedd y gweddill ohonom saith mil o filltiroedd i ffwrdd, yng Nghapel Tabernacl, Trelew, Patagonia. A'r hyn oedd yn dristach fyth oedd na fuasem ni yn y Wladfa o gwbl oni bai am Brei.

Bedair blynedd cyn hynny roedd criw ohonom mewn tŷ bwyta yng Nghricieth yn dathlu'r ffaith fod Brian Davies wedi cyrraedd oed yr addewid. Wrth y bwrdd bwyd y noson honno, mewn sgwrs rhwng Brian, Alun a Peredur, y tarddodd y syniad o fynd â Chwmni Drama Llwyndyrys a'u cyfeillion ar daith i Batagonia. Brian oedd y mwyaf brwd o'r tri. Soniodd fel yr oedd milfeddyg o'r Wladfa wedi galw ar ei ffarm ychydig flynyddoedd ynghynt, a'r ddau wedi cael modd i fyw yn cymharu amaethyddiaeth Cymru a'r Wladfa, a rhoi'r byd yn ei le. Sylweddolodd Brian, a oedd â diddordeb byw mewn pobl ym mhobman, y byddai ganddo eneidiau hoff cytûn yn y gymuned wledig, Gymraeg yn Ne America. Byddai cael mynd yno i weld y ffermydd a sgwrsio efo hwn a'r llall yn bleser pur, a mynd yno efo'i ffrindiau i actio ambell ddrama yn nefoedd ar y ddaear.

'Dan ni wedi bod yn meddwl wsti,' meddai Brian wrtha i yn ystod y pryd bwyd hwnnw yng Nghricieth. 'Fel cwmni

Brian Davies

rydan ni wedi bod yn perfformio ym mhob man yn y gogladd 'ma a rhai llefydd yn y de a'r canolbarth, ac un neu ddau yn Lloegr. Be tasan ni rŵan yn mynd dros y môr?'

'Lle'r ei di dŵad?' meddwn innau'n ddidaro.

'Patagonia!' atebodd.

Chwerthin wnes i i ddechrau. Fedrwn i ddim cymryd y syniad o ddifri, wrth feddwl am gost y daith a'r problemau ymarferol. Roedd lori wartheg Gwyn Ffridd wedi llwyddo i fynd â setiau ein gwahanol ddramâu o neuadd i neuadd yng Nghymru am flynyddoedd ond ni fedrem lwytho pethau felly ar jymbo jet i ben draw'r byd!

Ond roedd Brian a'i griw yn benderfynol y dylem fynd. Cwmni uniaith Gymraeg oeddem ni o ran ein cynyrchiadau ac os oeddem am fentro allan o'n gwlad ein hunain, doedd yna ond un lle arall ble gallem gael cynulleidfaoedd a fyddai'n gwerthfawrogi ein hiwmor gwledig. Roedd corau, athrawon, gweinidogion a llu o ymwelwyr o Gymru wedi teithio'n rheolaidd i'r Wladfa dros y blynyddoedd ond chlywsom ni ddim am gwmni drama yn mynd yno o'r blaen. Roedd y dadleuwyr yn daer a finnau o dipyn i beth yn dechrau gwanio. Wrth gwrs y byddai anawsterau ond chwarae plant fyddai'r rheiny o'u cymharu â'r her a wynebodd sefydlwyr y Wladfa yn Ne America bron ganrif a hanner ynghynt. Felly, yn ysbryd y Mimosa, dyma benderfynu, 'Wel pam lai?'

Buasai Brian wedi bod yn un o sêr y daith a doedd neb o'r criw yn fwy brwdfrydig wrth edrych ymlaen. Roedd ganddo ddawn reddfol fel actor comedi na allai'r un ysgol ddrama fod wedi ei dysgu iddo. Gweddai ei ddoniolwch diymdrech yn arbennig i ddramâu Wil Sam ac roeddem ni wedi penderfynu mai dwy o'r rheiny y byddem yn eu perfformio yn y Wladfa.

Unig broblem Brian oedd ei fod, wrth heneiddio, yn dechrau mynd yn drwm ei glyw ac yn ddrwg ei gof – cyfuniad anffodus i actor. Mi fuom yn perfformio rhai dramâu yn lleol i godi arian ac yn ystod perfformiad o *Y Wraig* gan Wil Sam yn Neuadd Dwyfor, anghofiodd Brei ei linellau fwy nag unwaith. Fi oedd yn promtio ac roeddwn i'n gorfod gweiddi cymaint nes bod y bobl yn y galeri yn clywed pob gair a Brei yn dal i glustfeinio. 'Gymerwch chi baned o de?' oedd un llinell; atebodd Brei 'Cymaf plîs!' Roedd y gynulleidfa'n cael modd i fyw. Ond does dim dwywaith na fyddai wedi meistroli pob llinell ar gyfer yr antur i Batagonia.

Er ei fod o wedi ei wreiddio'n ddwfn yn ardal Llwyndyrys a Phentreuchaf, un o Lan Ffestiniog oedd Brian yn wreiddiol. Roedd wedi dechrau ymhél â byd y ddrama pan oedd o'n gweini ar ffarm yn Nhrawsfynydd. Wedyn mi brynodd ffarm Glanrhyd, oedd yn dipyn o fenter. Dyna pryd y symudodd ei chwaer ac yntau i'r ardal yma. Yn y Clwb Ffermwyr Ifanc y deuthum i i'w adnabod gyntaf. Wedyn mi ddaeth Cwmni Drama Llwyndyrys ac mi ymdaflodd Brian i'r byd hwnnw â'i holl enaid am weddill ei oes.

Tua dwy flynedd cyn dyddiad y daith i'r Wladfa, mi gododd problem na allai neb fod wedi ei rhagweld: roedd Brian yn sylwi fod ei iechyd yn dirywio. Dwi'n cofio mynd efo fo i Ysbyty Gwynedd i weld arbenigwr canser a hwnnw'n dweud nad oedd angen pryderu; dim ond llawdriniaeth i dynnu un nodiwl bach, meddai, ac mi fyddai popeth yn iawn. Ond pan aeth y meddygon ati i wneud y driniaeth honno, dyma nhw'n darganfod fod y canser wedi dechrau ymledu.

Roedd Brian yn dal yn gyndyn o ildio. Hyd at y funud olaf roedd yn benderfynol o ddod efo ni ar y daith ond wrth i'r dyddiad nesáu, roedd yntau'n gwanhau o ddydd i ddydd. Oherwydd ei gyflwr, doedd dim un cwmni yn fodlon ei yswirio ar gyfer y daith. Cynigiodd un cwmni wneud hynny yn y diwedd – am bedair mil o bunnoedd – ond erbyn hynny roedd hi'n rhy hwyr. Yn gyndyn iawn, bu raid inni ymarfer y dramâu gan wybod na fyddai Brian yn un o'r cast.

Y diwrnod yr oeddem ni'n cychwyn, galwais i edrych amdano yn gynnar yn y bore cyn dal y bws o'r Ffôr i faes awyr Manceinion. 'Wyddoch chi be Gwilym, mae o yma o hyd,' oedd geiriau ei chwaer, Beti, fel petai hynny'n rhywfaint o ryddhad. Ond cael a chael oedd hi. Roedd Brian bellach mewn coma. Pan oedd y bws yn nesáu at y maes awyr, daeth neges ar y ffôn bach i ddweud bod yr hen Brei wedi'n gadael. Aeth pawb yn ddistaw, pob un yn awyddus i fod gartref ar gyfer y cynhebrwng ond yn gwybod nad oedd dewis ond parhau ar ein taith.

Mae Trelew, a enwyd ar ôl Lewis Jones o Gaernarfon, yn ddinas sylweddol efo rhyw gan mil o boblogaeth erbyn heddiw. Wrth i rai ohonom fynd am dro o gwmpas y lle ar ein noson gyntaf yn y Wladfa, dyma weld, o fewn canllath i'n gwesty, Gapel Tabernacl: adeilad bach, Cymreig, digon tebyg i gapel Llwyndyrys. Dyma ni'n meddwl yn syth y byddai'n lle delfrydol i gynnal ein gwasanaeth ein hunain i ffarwelio â'n hen ffrind. Dyma fynd i siarad efo'r ddiweddar Mair Davies, o Geredigion yn wreiddiol, cenhades a sefydlodd siop llyfrau Cristnogol yn Nhrelew ac a oedd yn helpu i gynnal capeli'r Wladfa. 'Mae croeso ichi ddefnyddio'r capel,' meddai'n syth. Cawsom wybod ar y ffôn o Gymru fod yr angladd i gael ei gynnal am un o'r gloch y prynhawn ym Mhentreuchaf. Roedd hynny'n naw o'r gloch y bore yn amser yr Ariannin. Cawsom wybod hefyd pa emynau fyddai'n cael eu canu a pha rannau o'r Beibl fyddai'n cael eu darllen yng nghartref Brian ac wedyn yn y fynwent. Dyma drefnu fod ein gwasanaeth ninnau i ddigwydd ar yr un adeg, gan ddilyn yr un patrwm.

Aeth y stori ar led yn gyflym yng nghymdeithas Gymraeg glòs y Wladfa ac roedd y capel bach yn orlawn. Yn ogystal â'r hanner cant oedd yn ein criw ni, roedd nifer o Archentwyr Cymraeg lleol wedi troi i mewn, yn ogystal ag ymwelwyr eraill o'r Hen Wlad. Mae gen i gof gweld Dafydd ac Elinor Wigley yn y gynulleidfa. Roedd hi'n anodd credu ein bod ni mor bell oddi cartref wrth glywed y geiriau cyfarwydd. Mi ganodd fy merch Nia 'Mi glywaf dyner lais' a phawb yn uno yn y cytgan. Gweddïodd Alun, un o gyd-gynllwynwyr Brian pan blannwyd egin y syniad o fynd i'r Wladfa. Talodd Peredur, y trydydd cynllwyniwr, y deyrnged ac yn absenoldeb gweinidog, cefais innau lywyddu'r gweithgareddau.

Felly, ymhell o'i wlad, y cafodd Brian Davies, Glanrhyd ei goffáu gan y cwmni drama a fu'n ganolbwynt i'w fywyd am ran helaeth o'i oes.

Gwreiddiau

'Rydach chi wedi rhoi Llwyndyrys ar y map!' Clywsom y geiriau droeon dros y blynyddoedd ar ôl i ryw lwyddiant neu'i gilydd ddod i ran ein cwmni drama. Mae'n braf meddwl inni gyfrannu rhywfaint at hynny, gan nad oes gan y rhan fwyaf o bobl Cymru fawr o syniad ymhle'r ydym ni'n byw. Petaech chi'n dangos map o Wynedd i ddeg o bobl a gofyn iddyn nhw ddangos ble'n union mae Llwyndyrys, synnwn i damaid na chaech chi ddeg lleoliad cwbl wahanol i'w gilydd a dim un ohonyn nhw'n agos i'r ardal yma wrth droed yr Eifl. I rai o bobl Llŷn ac Eifionydd hyd yn oed, dim ond enw ar arwyddbost rhwng Llanaelhaearn a'r Ffôr ydi Llwyndyrys. Chawson nhw erioed eu temtio i ddilyn yr arwydd a phicio draw i gael golwg ar y lle.

Beth sydd i'w weld yma ar ôl cyrraedd? Fawr ddim ar un ystyr, heblaw am olygfeydd godidog yn ymestyn o'r mynyddoedd i'r môr. Does yma ddim ysgol na neuadd, dim siop na thafarn na fawr ddim o'r nodweddion y byddai llawer o bobl yn eu hystyried yn hanfodol i ffyniant unrhyw gymuned. Does yma ddim pentref fel y cyfryw, dim ond capel, ciosg, clwstwr o dai, dwsin o ffermydd gwasgaredig, gwasg argraffu – ac erbyn hyn, yn annisgwyl, cwmni cydweithredol sy'n bragu cwrw. Ein trysor mwyaf gwerthfawr ydi cymdogaeth hwyliog, Gymraeg, efo poblogaeth weddol sefydlog a lwyddodd hyd yn hyn i osgoi effeithiau gwaethaf y mewnfudo a'r allfudo sy'n tanseilio iaith a thraddodiadau cymaint o ardaloedd gwledig.

Wrth i chi deithio'r tair milltir oddi yma tua Llithfaen a mynyddoedd yr Eifl i'r gogledd, mae'r tirlun yn newid yn raddol. Un funud rydych chi ar dir amaethyddol coediog a chymharol wastad, ac yna'n dringo i wlad fwy gerwin y

Ardal gyfan wedi dod ynghyd o flaen Capel Llwyndyrys yn 1986 i ddathlu canrif a hanner ers sefydlu'r achos

garreg ithfaen. Mae natur y bobl hefyd yn newid efo'r tirlun. Er bod y ddwy gymdogaeth yn byw'n gytûn ac yn rhannu llawer o weithgareddau, mae'r cefndir amaethyddol ar y naill law a'r un diwydiannol ar y llall wedi gadael eu stamp ar y teuluoedd. Mi ddylwn i wybod, gan fod gen i wreiddiau yn y ddwy gymdogaeth. Ffermwyr yn ardal Llwyndyrys oedd teulu fy mam ers cyn cof; chwarelwr oedd fy nhad, fel ei dad yntau, ac o bosib genedlaethau cyn hynny.

Mae gen i lun, a dynnwyd tua 1882, o briodas fy nhaid a nain, William a Dorothy Griffith. Un o gyffiniau Conwy oedd William yn wreiddiol a Dorothy yn perthyn i un o hen deuluoedd Llithfaen. Roedd o yn weithiwr i Gwmni Chwarel Penmaen-mawr, a symudodd i'r ardal yma ar ôl i'r cwmni hwnnw ddod yn berchen ar chwareli Trefor. Does dim dyddiad manwl ar y llun ond rwy'n mawr obeithio mai yng nghanol gaeaf oer y cynhaliwyd y briodas. Pe bai'n ddiwrnod o haf poeth buasai'r dynion, rhai barfog bron i

Priodas fy nhaid a nain

gyd, wedi toddi yn eu siwtiau a'u gwasgodau brethyn trwm. A druan o'r briodferch yn ei haenau o ddillad trwchus a'i gwisg hyd at ei thraed!

Cartrefodd fy nhaid a nain mewn tŷ o'r enw Bryn Dirwest yn Llithfaen. Y stori a glywais oedd bod y dyn a drigai yno o'u blaenau wedi bod yn feddwyn ar un adeg, ond fe welodd y golau, cefnu ar y ddiod a hel digon o arian i godi'r tŷ. Dyna, meddan nhw, sut y cafodd Bryn Dirwest ei enw.

Ganed tair merch a thri mab i William a Dorothy. Yr ieuengaf o'r rhain oedd fy nhad, John Moses. Bu farw ei fam yn 1896 pan oedd o'n ddim ond tair oed a chafodd ei fagu gan ei dad a'i chwiorydd.

Roedd stamp y Diwygiad ar yr ardal yn ystod ei ddyddiau ysgol, a phan adawodd i ddilyn ei dad i weithio yn un o chwareli'r Eifl. Wedyn daeth y Rhyfel Mawr, pan oedd y Parchedig John Williams, Brynsiencyn ac eraill yn mynd o amgylch y wlad i recriwtio. Partnar mawr fy nhad oedd 'Twm Nefyn'; felly y byddai pawb yr adeg honno yn adnabod y gŵr a ddaeth wedyn yn enwog drwy Gymru benbaladr – y Parchedig Tom Nefyn Williams. Un noson mi aeth y ddau ffrind i Bwllheli i wrando ar John Williams yn taranu am ryddid i'r cenhedloedd bychain a dyletswydd dynion ifanc i ymuno â'r Lluoedd. Roedd Twm Nefyn wedi ei gyffroi gan yr alwad – yn fwy felly na Nhad. Roedd fy nhaid yn heddychwr mawr ac yn ei olwg o mi fyddai unrhyw un a oedd yn lladd ei gyd-ddyn yn euog o bechod. Roedd hyn yn gadael Nhad mewn cyfyng-gyngor ond mi wnaeth ei benderfyniad mewn un foment ddramatig yn ei waith. Yn ôl y drefn yn y chwareli byddai wagen lawn yn mynd i lawr yr inclên efo llwyth o gerrig ithfaen a dynion, a wagen wag yn dod i fyny i'w chyfarfod. Beth welodd Nhad yn y wagen oedd ar ei ffordd i fyny ond gwn-mawr wedi ei wneud yn gelfydd o bren, a Twm Nefyn wedi ysgrifennu neges arno mewn llythrennau breision: 'Tyrd Sion, mi awn ni heno.' Y noson honno aeth y ddau i'r dref, yn ddiarwybod i fy nhaid ac yn groes i'w ddymuniad, a chysgu'r nos mewn tŷ gwair, ar eu ffordd i'r rhyfel.

Roedd fy nhad yng nghanol y drin pan oedd y rhyfel yn ei anterth ond cafodd dreulio un cyfnod tawelach yn gwarchod carcharorion Gwyddelig yng ngwersyll Frongoch ger y Bala. Roedd y rhain wedi cymryd rhan yng Ngwrthryfel y Pasg yn Nulyn yn 1916 ac yn cynnwys yr arweinydd enwog Michael Collins. Clywais fy nhad yn dweud ei fod wedi cael sgwrs yn Gymraeg efo un carcharor

a ddaeth wedyn yn faer dinas Corc.
Dim ond yn ddiweddar y dechreuais
ddilyn y trywydd hwnnw. Bu dau o
garcharorion Fron-goch yn llenwi'r
swydd honno ar ôl cael eu rhyddhau o'r
gwersyll, a chollodd y ddau eu
bywydau yn ystod rhyfel annibyniaeth
Iwerddon yn 1920. Saethwyd un,
Tomás McCurtain, gan y 'Black and
Tans' yng ngŵydd ei wraig a'i fab. Bu
farw ei olynydd fel maer, Terence
McSwiney, ar ôl 74 diwrnod o ympryd
yng ngharchar Brixton. Roedd y ddau
wedi cymryd rhan flaenllaw ym mywyd
gwersyll Fron-goch a'r ddau yn
ymddiddori yn yr ieithoedd Celtaidd.
Gallai'r naill neu'r llall fod wedi dysgu

Fy nhad yn ei lifrai milwrol

rhyw gymaint o Gymraeg. Mae'n eithaf tebyg fod fy nhad
wedi adnabod un o'r ddau oddi wrth y lluniau a
gyhoeddwyd adeg ei farwolaeth ac wedi cofio am y sgwrs
yng ngwersyll Fron-goch.

Ar ôl iddo fod yn gwarchod y carcharorion Gwyddelig,
tro fy nhad wedyn oedd bod yn garcharor ei hun. Yn ôl yn y
ffosydd yn un o frwydrau'r Rhyfel Mawr fe'i anfonwyd gan ei
swyddogion dros ryw fryn i geisio darganfod beth oedd
symudiadau'r Almaenwyr ond fe'i daliwyd gan y gelyn ac
mewn gwersyll carcharorion y treuliodd weddill y rhyfel.
Doedd ganddo ddim ond gair da i'w ddweud am yr
Almaenwyr a'r ffordd y cafodd ei drin.

Mae'n rhaid bod y rhyfel wedi bod yn hunllef llwyr i
heddychwr fel fy nhaid, gan i bob un o'i dri mab ymuno yn
yr ymladd. Dau hen lanc oedd Richard a Bob. Mi wnaeth
Yncl Bob un gwrhydri yn y rhyfel a chael ei anrhydeddu am
hynny. Mae gen i lythyr swyddogol yn cofnodi iddo gael ei

gymeradwyo am '*assisting to extricate a pilot from a burning aeroplane at great personal risk, the petrol tanks being on fire and ammunition exploding*'. Er imi gribinio drwy'r llyfr cofnodion *British Armies in France*, methais â dod o hyd i unrhyw fanylion am ble yn union y digwyddodd gweithred arwrol Robert Griffith.

Ar ôl y rhyfel mi aeth y brawd hynaf, Richard, i America, gan weithio yn chwarel ithfaen Red Rock yn Idaho a ddenodd nifer o hogia Trefor i chwilio am fan gwyn man draw. Mae gen i ddogfen yn fy meddiant sy'n awgrymu iddo ar un adeg ystyried aros yno a throi'n ddinesydd Americanaidd. I gael yr anrhydedd honno roedd angen iddo fodloni nifer o amodau gan dystio, ymysg pethau eraill: '*I am not an anarchist. I am not a bigamist. It is my intention in good faith to renounce for ever all allegiance and fidelity to any foreign prince, and particularly to Edward the Seventh, King of Great Britain and Ireland.*' Penderfynu dod adra i Lithfaen wnaeth Yncl Richard.

Pan oeddwn i'n blentyn mi fyddai'r tŷ yn llawn o hen lyfrau am y Rhyfel Mawr a Nhad wrth ei fodd yn adrodd straeon 'roeddwn i yno'. Ond doedd o ddim, erbyn hynny, yn rhamanteiddio rhyfel. Erbyn iddo gael ei ryddhau ar ddiwedd yr ymladd roedd wedi troi'n heddychwr cadarn fel ei dad. Roedd hynny'n wir hefyd am ei ffrind Twm Nefyn a ysbrydolwyd wedyn i baratoi ar gyfer y weinidogaeth. Daeth yn un o bregethwyr mwyaf carismataidd a dadleuol Cymru, yn enwedig yn ystod ei gyfnod yn ardal y glo carreg yn y Tymbl, Sir Gaerfyrddin. Aeth fy nhad am gyfnod i weithio yn y pyllau glo yn yr ardal honno, gan fynychu eglwys Tom Nefyn, cyn dod yn ôl i'r chwarel yn Llithfaen.

Ym maes parcio Pen-y-nant, ar ben y lôn serth sy'n arwain i lawr i Nant Gwrtheyrn, mae Cofeb y Chwarelwyr, meini a gerfiwyd o ithfaen yr Eifl gan y cerflunydd Roland George. Ar y gofeb mi welwch gywydd o'r enw 'Ar lwybr

chwarel' gan Myrddin ap Dafydd, fy nghymydog ers rhai
blynyddoedd bellach, sy'n dechrau efo'r cwpled:

Ar eu pedwar, pwy ydynt
'ddaw i'w gwaith drwy ddannedd gwynt?

Mae'r cywydd yn seiliedig ar brofiad fy nhad pan fyddai'n
teithio i'w waith ar y Bonc Newydd. Roedd erbyn hynny
wedi priodi ac yn byw yng nghartref fy mam, Plas Newydd,
Llwyndyrys. Byddai'n cychwyn tua hanner awr wedi pedwar
y bore ar ei feic ond dim ond am ryw hanner milltir y
byddai'n medru reidio. Roedd hyn cyn dyddiau'r thrî spîd a
phowlio fyddai hi wedyn, gan ddringo'r gelltydd serth drwy
bentref Llithfaen ac ar hyd y lôn fach i'r copa. Ar dywydd
garw mi fyddai ar ei bengliniau yn powlio'r beic gan fod y
gwynt mor gryf yn ei wyneb ond byddai'n cyrraedd mewn
pryd i gael sgyrsiau efo hogia Trefor ar y bonc cyn dechrau
ar lafur y dydd. Ei waith oedd malu metlin a thorri sets, sef y
cerrig oedd ar un adeg yn cael eu hallforio o Borth y Nant i
balmentu dinasoedd ym mhedwar ban byd. Ar ddiwedd ei
ddiwrnod gwaith, a'r gwynt yn ei gefn, mi fyddai adra mewn
chwinciad ar gefn y beic.

Fel pawb o'i gyd-chwarelwyr, roedd Nhad yn un digon
plaen ei dafod ar adegau. Byddai hen fodryb i mi, a oedd yn
byw ym Mhorthmadog, yn dod atom i aros am dipyn o
wyliau bob haf. Roedd Mam wedi dechrau gyrru erbyn hyn
a byddai'n mynd ag Anti Grace am dro o gwmpas yr ardal yn
ei char. Ar adegau felly byddai Nhad yn cyrraedd adra o'i
waith ambell dro a dim bwyd wedi'i ddarparu ar ei gyfer ac
yntau'n ei gaddo hi iddyn nhw am galifantio. Un noson
roedd Mam wedi cyrraedd adra o'i flaen ond wrth ei weld
o'n padlo heibio i Felin Carnguwch, dyma hi'n dweud
wrthyf fi, 'Yli, dwi am fynd i guddiad i'r cefn 'ma efo Anti
Grace. Deud wrtho fo nad ydan ni ddim adra heno eto.'

Priodas fy nhad a mam Elizabeth Dorothy Pritchard a John Moses Griffith, yn Llithfaen yn 1932. Rhes ôl: Yncl Bob, Nhad a Mam, Katie Rowlands. Rhes flaen: Anti Dora, Yncl Wmffri, tair o'm cyfnitherod Greta, Megan a Dolly, a'r Parch J S Jones

Fi yn llond fy nghroen

'Sut hwyl sy'?' meddai Nhad pan ddaeth i'r tŷ. 'Lle mae'r merchaid 'ma dŵad?'

'Maen nhw wedi mynd i grwydro heddiw eto Nhad.'

'Wyddost ti be,' meddai, 'mae'n hen bryd i'r blydi dynas 'na fynd adra!'

Roedd Anti Grace druan yn clywed pob gair! Dyma Mam yn rhuthro i'r golwg a dweud wrtho am dynnu'i eiriau yn ôl.

'Na, thynna i ddim gair yn ôl, 'yn Duw,' meddai Nhad. Ar adegau felly roedd o'n rêl hogia Llithfaen! Roedd pobl Llwyndyrys yn ddigon cadarn ond eto'n dawelach ac yn llai ymfflamychol. Mi ddeuthum yn ymwybodol iawn o'r gwahaniaeth ar ôl dod yn aelod o Gôr Llithfaen. Sôn am ddadlau a ffraeo – yn union fel roedden nhw wedi arfer yn y gwaith – ond doedd neb ddim dicach ar y diwedd. Mi fyddai 'na groesdynnu yn Llwyndyrys fel ym mhobman arall hefyd wrth gwrs ond ei fod o'n groesdynnu llai tanbaid.

Roedd yna wahaniaethau gwleidyddol hefyd. Hogia Llafur mawr oedd hogia'r chwareli a'r traddodiad undebau yn gryf, tra bod pobl Llwyndyrys ar y cyfan yn Rhyddfrydwyr. Yn hynny o beth roedd teulu Nhad yn eithriadau i'r ddwy gymuned. Roedden nhw ymhlith y chwe chant a naw a bleidleisiodd i Lewis Valentine, ymgeisydd cyntaf Plaid Cymru, yn etholaeth Sir Gaernarfon yn 1929. Roedd chwaer fy nhad yn genedlaetholwraig frwd, er bod ei gŵr, Tenorydd yr Eifl, yn un mor benboeth dros y Blaid Lafur.

I droi rŵan at deulu Mam yn ardal Llwyndyrys. Ar ochr ei thad roedd hi'n hanu o deulu ffarm Penfras – neu 'Pefras' fel y byddwn ni'n ei ddweud ar lafar gwlad yn yr ardal yma – a hwnnw'n dylwyth go niferus. Un o bump o blant oedd Mam, tair merch a dau fab. I Plas, lle'r oedd fy ewythr yn ffarmio, yr aeth fy rhieni i fyw ar ôl priodi yng nghapel Llithfaen ym mis Medi 1933. Ac yno y deuthum innau i'r

Mam a finnau

byd ddwy flynedd yn ddiweddarach.

Doedd gan gapel Llwyndyrys ddim trwydded i gynnal priodasau yn y dyddiau hynny ond mynd yn ôl i'r capel hwnnw fu hanes Mam ar ôl priodi. Roeddwn innau, pan oeddwn yn blentyn, yn hofran rhwng capeli Llithfaen a Llwyndyrys gan fynychu dwy ysgol Sul a chystadlu mewn dwy Eisteddfod Ysgolion Sul. Cefais fy nerbyn yn aelod yng nghapel Llithfaen ond yn Llwyndyrys y sefydlais yn y diwedd a dod i deimlo 'mod i'n perthyn gant y cant i'r gymdeithas yma.

'Plas' – Plas Newydd yng Ngharnguwch

Cymeriadau

Carnguwch oedd y ffarm fwyaf yn ardal Llwyndyrys. Roedd hi'n cyflogi saith neu wyth o weision ar un adeg, pob un yn gymeriad, a'r straeon amdanyn nhw wedi tyfu'n chwedlau. Gan fy ewythr, brawd fy mam, y clywais y rhan fwyaf ohonyn nhw.

Roedd y gweision wrthi'n torri gwair un bore; torri gwanaf pymtheg acer cyn brecwast, a oedd yn gythraul o dreth. I'r tŷ wedyn, a phawb ar lwgu, i aros am eu brwas. Roedd John Tyddyn Bach, cymeriad a oedd yn byw yn ymyl Eglwys Carnguwch, yn un o'r gweision achlysurol a fyddai'n mynd yno i helpu ar ddyddiau dyrnu a chneifio ac ambell ddiwrnod arall pan fyddai'r gwaith yn drwm. Roedd hyn yng nghyfnod y Diwygiad tua throad yr ugeinfed ganrif a gwraig y ffarm, Mrs Ellis, yn ddynas barchus a duwiol. Pan oedd y gweithwyr a'r teulu i gyd yn eistedd o amgylch y bwrdd yn barod i fwyta dyma hi'n gofyn, 'Rŵan, oes 'na rywun yn barod i ddechra yma?' Gofyn gras bwyd oedd 'dechra' iddi hi wrth gwrs ond nid dyna gafodd hi. 'Ddechreua i bachan,' meddai Tyddyn Bach, 'taswn i'n cael llwy!' Wn i ddim o ble y cafodd o'r 'bachan' deheuol, ond fel yna y clywais i'r stori.

Dro arall roedd cynhebrwng i'w gynnal ganol gaeaf yn Eglwys Carnguwch a'r lle dan eira trwm. Roedd hi'n anodd cael y corff at y fynwent a doedd y person chwaith ddim yn medru cyrraedd. Tyddyn Bach oedd clochydd yr eglwys a dyma fo'n cynnig dod i'r adwy. 'Tyrd â fo yma,' meddai, 'ac mi cladda i o ichi.' Dyma ddod â'r corff i fyny drwy ganol y tywydd garw a brawddeg ddefosiynol y clochydd yn ei swyddogaeth newydd oedd 'Rwy'n dy gladdu di gyda'th dada a'th deidia, ac os codan nhw, mi godi ditha!'.

Unwaith erioed y cofiaf weld yr hen Dyddyn Bach a

Eglwys Carnguwch

Mynydd Carnguwch, a fferm Carnguwch yn ei gysgod

hynny pan o'n i'n ddim o beth. Wedi mynd i Eglwys Carnguwch efo Nhad a Mam yr oeddwn i, a'r diweddar Ioan Mai Evans yn cymryd y gwasanaeth. Doedd fawr o neb arall yno. Pan oedd Ioan Mai ar hanner traethu dyma Tyddyn Bach yn gweiddi, 'Stopia funud bach! Ti'm yn meindio imi gael smôc yn nag wyt?' a dyma fo'n tanio'i bibell yn y fan a'r lle ar ganol yr oedfa. Mae digwyddiad fel'na yn aros yng nghof plentyn.

Roedd un o weision Carnguwch yn un drwg am ddwyn ac un o feibion y ffarm wedi darganfod ei fod o wrthi. Menyn fyddai o'n ei ddwyn gan amlaf. Ei dric oedd rhoi'r menyn ar ei ben, gwisgo'i gap drosto, neidio ar ei feic ac adra â fo. Ond un diwrnod roedd y mab wedi cadw golwg a gweld y lleidr wrth ei waith. Cyn i'r gwas gael cyfle i ddiflannu, dyma fo'n ei wahodd o i'r tŷ am sgwrs. Eisteddodd y ddau o flaen tanllwyth o dân nes bod y menyn yn toddi ac yn llifo i lawr wyneb y troseddwr. Doedd dim lladrata menyn ar ôl hynny.

Dic Bach oedd yr enw ar un o'r gweision eraill. Mae gen i gof amdano pan oedd o'n hen ddyn yn gweithio yn y chwarel ond gweini yn Carnguwch yr oedd o yn ei ddyddiau cynnar. Roedden nhw'n gweithio'r gweision yn galed iawn ac yn cadw Dic yno ar brynhawniau Sadwrn ac yntau'n sâl eisiau mynd adra. Ar un o'r prynhawniau hynny roedd o'n gorfod troi handlan hen *chaffcutter* mawr ac wedi colli pob amynedd. Doedd dim siâp arno o gwbl. Dyma'r mistar, a oedd yn ei wylio, yn dweud, 'Wyddost ti be Dic bach, fasa waeth inni gael yr hen geiliog sy' ar yr iard yn fan'na ddim mwy na chdi.'

'Rhoswch funud, Mr Ellis,' meddai Dic. Dyma fo'n rhedeg ar ôl y ceiliog, ei ddal a'i roi wrth handlan y *chafcutter* a dyma'r hen geiliog yn hedfan i ffwrdd.

'Welsoch chi be wnaeth o, Mr Ellis?'

'Do, mi hedodd i ffwrdd.'

'Wel hedfan i ffwrdd wna' inna hefyd!'

Diwrnod dyrnu arall, nid yn Carnguwch ond yn un o ffermydd eraill yr ardal. Gwraig y tŷ'n mynd o gwmpas i roi cawl i'r gweithwyr ac wrth iddi basio un hen fachgan, dyma fo'n gafael yn ei lwy ac yn lluchio llwyaid o'r cawl 'ma am ei phen hi o'r tu ôl.

'Arglwydd, be sy' arnoch chi ddyn?' meddai hithau.

'Nid oes ganddo lygaid i weled,' meddai'r gwas. Roedden nhw'n credu yr adeg honno nad oedd unrhyw rinwedd mewn cawl os nad oedd o'n llawn o fraster a hwnnw'n sgleinio fel llygaid ar ei wyneb.

Roedd fy nheulu innau ar ochr tad fy mam yn dipyn o gymeriadau yn ôl y sôn. Yn sicr roedd hynny'n wir am Gruffydd Pritchard, brawd fy nhaid a ddaeth yn benteulu ym Mhenfras. Roedd ei wraig ac yntau wedi magu deuddeg o blant a chwech arall wedi eu geni'n farw-anedig. Un diwrnod roedd ei wraig ac un o'r merched yn y ffenest yn edrych i lawr ar yr iard. Beth welson nhw ond yr hen glagwydd 'ma, oedd wedi magu cast o ruthro pobl yn eu sodlau, yn rhedeg ar ôl Gruffydd a gafael yn dynn yn ei drowsus. 'Mi ro' i ddiwadd ar y cythral,' meddai Gruffydd, gan roi'r fath waldan i'r clagwydd efo ffon nes bod y creadur yn gelain. Dyma fo'n edrych o'i gwmpas, heb wybod ei fod yn cael ei wylio, yn gafael yn y clagwydd a rhoi ei big rhwng dwy garreg yn wal y beudy a'i adael yno'n hongian. Mi fasai'r RSPCA ar ei ôl o heddiw ond yr unig gosb ar y pryd oedd dicter ei wraig a'i ferch.

Robin Penfras

Dic a Robin oedd y ddau frawd oeddwn i'n eu hadnabod orau. Roedden nhw'n gantorion da ac yn perthyn i Gôr Meibion Glannau Erch, a oedd yn ei fri yr adeg honno. Canlyn dyrnwr oedd gwaith Robin; roedd ganddo'i ddyrnwr ei hun i fynd o gwmpas yr ardal. Roedd o wedi bod yn dyrnu yn Aber-erch un noson ac eisiau mynd adra'n brydlon er mwyn cael mynd i Neuadd y Penrhyn i recordio noson lawen efo'r côr. Un o'r dynion oedd yn helpu efo'r dyrnwr oedd William Williams, neu 'Llwyn', un o gymeriadau mawr Llithfaen. Dyma Robin yn gofyn i Llwyn a fyddai o'n fodlon dreifio'r tractor yn ôl i Benfras, i arbed amser iddo fo.

Llwyn

'Dwi rioed wedi dreifio tractor,' meddai Llwyn.

'Mae'r Ffordan bach yn ddigon hawdd ei dreifio,' meddai Robin. 'Dim ond matar o roi dy droed ar y lifar 'ma ac wedyn ei godi fo'n ara deg. Tyrd di ar f'ôl i.' Ac felly yr aethon nhw dow-dow am adra a'r hen Lwyn i'w weld yn ddigon cartrefol wrth lyw'r tractor. Ond erbyn cyrraedd Penfras roedd Llwyn wedi anghofio sut i stopio. Roedd hen fachgan Penfras ar yr iard pan gyrhaeddodd o.

'Symud was,' gwaeddodd Llwyn, a beth wnaeth o ond mynd ar ei ben i'r das wair a stolio'r injan. Felly y daeth y Ffordan bach i'w hunfan!

Roedd gennym ni gôr yn Llwyndyrys ers talwm a Robin yn un o'r aelodau ffyddlon. Roedd o wedi cael morwyn newydd ym Mhenfras, Miss Owen o Sir Fôn, a doedd hi ddim yn gwneud argraff rhy dda. Injan wnïo fyddai'n mynd ganddi drwy'r dydd – roedd hi'n ddigon sgùt efo honno – ond doedd hi'n cael fawr o hwyl fel cogyddes. Mi fyddai hi'n gwneud rhyw fwydydd nad oedd Robin wedi arfer efo nhw, a beth oedd ar y fwydlen un noson ond *macaroni cheese*. Doedd Robin erioed wedi gweld y fath fwyd o'r blaen, heb sôn am ei fwyta. Mi gerddodd i'r practis côr a chyfaddef wrthyf i ei fod o wedi bod yn sâl yr holl ffordd yno. 'Pam nad ewch chi adra?' meddwn i wrtho.

'Mi fydd hi'n ddigon hawdd imi ffendio fy ffordd,' meddai Robin. 'Dim ond *follow the yellow line!*'

Un diwrnod Dolig roedd Miss Owen wedi paratoi gŵydd i ginio. Roedd hi wedi ordro deg torth gan y becar i wneud y stwffin, tra byddai hanner torth wedi gwneud y tro. 'Mi oedd gynni hi ferfâd o stwffin,' meddai Robin. Rhoddwyd yr ŵydd stwffiedig yn y Rayburn dros nos. 'Erbyn bora wedyn,' meddai Robin, 'doedd 'na ddim byd ond y *chassis* ar ôl!' Oedd, roedd y cwbl wedi llosgi'n golsyn.

Roedd hi'n 'Nadolig gwyn' y flwyddyn honno ond doedd dim rhamant yn hynny i Robin. Bu'n rhaid iddo ddanfon Miss Owen drwy'r eira i Sir Fôn er mwyn iddi hi gael treulio'r Nadolig yn ei chynefin. Fel y dywedodd Robin, gan ddyfynnu hen garol, 'Nadolig fel hynny ga'dd hwn.'

Hen lanc oedd Robin ac mi fyddai rhai o'r hen fois yn ei drin o – gofyn tybed nad oedd hi'n bryd i bethau ddatblygu rhyngddo fo a Miss Owen. Doedd gan Robin ddim diddordeb: 'Dew annwl,' meddai, 'i be a' i i boetsio efo peth felly?'

'Wel yli,' medden nhw, 'pan fyddi di'n ei gweld hi'n cychwyn i lawr y grisia, dos di i fyny ac ella digwyddith petha yn y canol!'

Roedd hogia Penfras i gyd yn gantorion da ac yn aelodau o Gôr Llithfaen, gyda Griffith Davies yn arwain. Roedd Mr Davies yn ddyn parchus ac yn ddirwestwr mawr. Doedd hogia Penfras ddim yn ddirwestwyr o gwbl. Un flwyddyn roedd swper y côr yn cael ei gynnal ym Mhlas Pistyll a'r hen Ddic wedi cael gormod i'w yfed. Roedd yn rhaid i'r côr ganu un gân Saesneg y noson honno ar gyfer ymwelwyr a oedd yn aros yn y Plas. '*Comrades' song of hope*' oedd enw'r gân ac ar ei chanol hi dyma Dic yn taro i ganu 'Yr asyn a fu farw'. Roedd Griffith Davies, yn naturiol, wedi gwylltio'n gandryll. Dyma fynd â Dic adra i Penfras, ble cafodd job ofnadwy i fynd am y tŷ. Roedd y tir yn codi i'w wyneb o, medda fo. Aeth i fyny'r grisiau ar ei bengliniau ac mi fu'n hir iawn yn ceisio cadw'r gwely'n ddigon llonydd iddo fedru dringo i mewn iddo.

Mi fyddai Côr Llwyndyrys yn ymarfer yng nghapeli Tyddyn Siôn a Llwyndyrys bob yn ail. Un noson roeddem ni wedi parcio ein ceir i gyd yn daclus o flaen capel Tyddyn Siôn, canu am ryw awr, dod allan, a doedd dim un car ar gyfyl y lle. Gwyn Ffridd a William Thomas, Rhydau oedd wedi dod yno a'u dreifio nhw drwy amryw gaeau a'u gadael yng nghanol cae oedd newydd ei deilo.

Fel ym mhob ardal chwareli, roedd gan Lithfaen hiwmor a oedd yn medru bod yn ddigon miniog ar adegau. Ar yr un pryd, roedd yno ysbryd cymdogol a chonsýrn mawr dros unrhyw un mewn angen. Pe byddai rhywun yn wael, ac mae hyn o fewn fy nghof i, roedd yna system o werthu ticedi hanner coron er mwyn helpu'r teulu. Dyna'r math o sosialaeth ymarferol oedd yn tarddu o galedi a pheryglon y gwaith. Unwaith, roedd rhywun yn ceisio gwerthu ticed hanner coron i ddyn yr oedden nhw'n ei alw yn John Ceffyl, er mwyn helpu chwarelwr arall a oedd yn wael ac yn dad i haid fawr o blant.

'Wyt ti am brynu?' meddai'r gwerthwr.

'Wannwl, nag 'dw i,' meddai John.

'Mi ddylat wneud. Mae gynno fo deulu mawr.'

'Os ydi o wedi cael hwyl ar eu gneud nhw mi ddylai gael hwyl ar eu magu nhw hefyd.' A dyna hynny o gydymdeimlad a gafodd y claf.

Roedd 'na atal dweud go ddrwg ar chwarelwr arall, Dic Bach Gwen. Mi ddaeth dyn o Bwllheli i fyw i Bronallt, Llithfaen ac roedd atal ar hwnnw hefyd. Cafodd waith yn y chwarel. Ar ei ddiwrnod cyntaf yno dyma'r ddau yn cyfarfod a dechrau sgwrsio, a Dic yn dweud wrth ei gydweithiwr newydd, 'P-p-paid â 'ngwatwar i, y diawl!'

Pan oedd fy nhad yn gweithio yn chwarel y Nant, mi lewygodd un chwarelwr ar ddiwedd diwrnod gwaith. Bu'n rhaid i'r dynion eraill ei roi ar stretshar ac ymlafnio i'w gario yr holl ffordd i fyny'r gamffordd, y lôn enbyd o arw a serth oedd yno bryd hynny. Ar ôl iddyn nhw gyrraedd y top dyma'r 'claf' yn neidio ar ei draed. 'Diolch yn fawr ichi hogia,' meddai ac i ffwrdd â fo.

Mae'n wych gweld Nant Gwrtheyrn yn ffynnu heddiw fel canolfan iaith a threftadaeth, diolch i weledigaeth Dr Carl Clowes. Lle gwahanol iawn oedd yn y Nant pan oeddem ni'n blant, tua diwedd y cyfnod pan oedd chwarelwyr a'u teuluoedd yn dal i fyw yn y bythynnod. Ar ôl i'r trigolion hynny adael mi ddaeth gwahanol griwiau o hipis i fyw yno gan ddifetha'r lle a dwyn llawer o bren y llofftydd i'w ddefnyddio'n goed tân. Roedd y capel yn mynd â'i ben iddo ac mi brynwyd yr adeilad hwnnw gan Geraint Jones, Trefor. Hynny, am wn i, oedd y sbardun cyntaf tuag at ailfeddiannu'r lle gan y Cymry.

Mi fyddem ni'n mynd i lawr i'r Nant yn aml iawn pan oeddem yn ifanc ac mae rhai o'r straeon am yr hen gymeriadau yn fyw iawn yn fy nghof. Un o'r rheiny oedd Elis Bach, corrach y mae rhai yn dal i sôn amdano er ei fod o'n byw yn y Nant tua ail hanner y ddeunawfed ganrif. Os bydd hi'n cynhesu a niwl i'w weld yn codi dros y top o'r Nant, mi fydd rhai yn dweud 'Mae Elis Bach yn smocio'i getyn'. Mae hwnnw'n dal yn arwydd tywydd braf yn yr ardal.

Roedd Elis mor fyr ei goesau, pan oedd o'n cerdded i lawr y gamffordd i'r pentref roedden nhw'n gorfod rhoi patsh lledr ar ben ôl ei drowsus gan ei fod o'n crafu'r lôn a gwisgo'n dwll.

Byr neu beidio, roedd o'n weithiwr da. Mi fyddai'n cael ei ddefnyddio gan ffarmwrs i hel defaid – roedd o'n gwibio rownd y creigiau fel ewach. Roedden nhw'n cynnal arwerthiant yn Nant Gwrtheyrn unwaith neu ddwy y

flwyddyn, pawb yn hel eu hanifeiliaid i lawr yno a chriw
mawr o bobl yn cyrraedd ac yn cael bwyd yn y ffermdai. Mi
fyddai Elis Bach yn mynd i un o'r ffermydd ac yn cuddio
mewn cwpwrdd. Wedyn mi fyddai pobl yn ei glywed o'n
gweiddi, 'Byta hyn, byta cwbwl.' Apêl oedd hynny ar i bawb
arafu'r bwyta rhag iddo fo fynd yn brin. Rhaid bod Elis Bach
wedi creu tipyn o argraff i bobl ddal i gofio amdano wedi'r
holl flynyddoedd.

Ar y lôn sy'n dod i fyny o Lan'haearn i Lithfaen, mae lle
yr ydym ni'n ei alw yn Bwlch Siwncwn. Dwi'n meddwl mai
Bwlch Siencyn oedd yr enw gwreiddiol. Roedd 'na goets
fawr ers talwm yn rhedeg o Gaernarfon i Edern ac mi fyddai
hen leidr pen ffordd yn ymosod ar y goets. Roedd o wedi
dewis lle da i wneud hynny, ar allt serth pan fyddai'r goets yn
dringo'n araf a'r ceffylau ar eu bolia wedi blino. Mi glywais
gan fy modryb, chwaer fy nhad, fod yna grochan aur ar ochr
yr Eifl a bod rhywfaint o'r pres wedi ei guddio yn hwnnw.
Gan y diweddar Ioan Mai, ein prif hanesydd lleol, y clywais
i'r chwedl gyntaf am Siencyn y lleidr. 'Paid â mynd ormod ar
ôl y stori,' meddai. 'Dew, pam?' holais innau. 'Dwi'n meddwl
ei fod o'n perthyn rwbath i ni,' oedd yr ateb. Roedd Ioan Mai
a finna yn yr un llinach.

Dyddiau Ysgol

Gan nad oedd ysgol yn Llwyndyrys, roedd fy rhieni'n gorfod gwneud penderfyniad wrth imi gyrraedd fy mhump oed. A fyddwn i'n cael fy anfon i Bentreuchaf neu i Lithfaen? Doedd fawr o wahaniaeth rhwng y ddwy o ran pellter ac ni fyddai cyrraedd y naill na'r llall yn rhwydd i blentyn bach. Pentreuchaf oedd y dewis fodd bynnag: roedd yr ysgol honno fymryn yn nes ac yno'r oedd Mam a'i brawd ieuengaf wedi bod. Ond ymhen blwyddyn roedden nhw wedi newid eu meddyliau ac fe'm symudwyd i Lithfaen, i hen ysgol fy nhad a llawer o hen deulu Mam. Yn ifanc iawn felly, cefais brofiad o ysgol lle'r oedd blas y pridd yn gryf, ac un arall lle'r oedd gan bawb yn ddiwahân ryw gysylltiad â bywyd y chwareli ithfaen.

Prin ydi fy atgofion am fywyd yn ysgol Pentreuchaf ond mae'r cof am y daith yno ar y diwrnod cyntaf yn glir. Mam aeth â fi yno ar ei beic, bron i dair milltir o badlo i fyny ac i lawr gelltydd na fyddech chi'n sylwi rhyw lawer arnyn nhw mewn car ond yn dipyn o laddfa iddi hi efo'i llwyth. Ar ddiwedd y daith roedd y plant i gyd yn sefyll wrth y relings yn rhythu ar yr hogyn bach newydd 'ma yn cyrraedd yr ysgol mewn steil.

Ar ôl y diwrnod cyntaf, cerdded i'r ysgol y byddwn i fel pawb arall; doedd dim sôn am fysys na thacsis i gario plant yn yr oes honno. Roeddwn i'n cael cwmni ffrind, William Thomas, Rhydau, gan fynd drwy'r caeau ran o'r ffordd er mwyn byrhau'r daith pan fyddai'r tywydd yn braf. Weithiau mi fyddai dau hogyn mawr, Len a Wyn, Coed Helen, yn dod efo ni. Roedden nhw ryw bedair blynedd yn hŷn ac mae gen i gof da am y cnafon yn chwarae tric go fudur ar William a finnau un bore. Roedd hi'n haf poeth y flwyddyn honno a

Ysgol Llithfaen. Fi sydd ar y dde yn y rhes ôl a Gwyn Ffridd wrth fy ochr. William Thomas Rhydau sydd ar y dde yn y rhes flaen.

gwartheg allan yn y caeau lle'r oeddem ni'n cerdded, ac yn gadael eu holion hyd y lle. Roedd y rhan fwyaf ohonynt, ond nid y cyfan, wedi caledu'n gacennau. 'Dyma ichi le braf i ista, hogia. Mi gymerwn ni seibiant bach fan hyn,' meddai Len a Wyn. Roedden nhw ill dau wedi dewis eisteddleoedd caled a William a finnau'n eistedd ar rai newydd oedd yn dal i stemio. Cyrhaeddodd y ddau ohonom yr ysgol yn drybola drewllyd a thad William, a oedd mewn tipyn o oed, yn dod i'r ysgol drannoeth i'w gaddo hi i bwy bynnag oedd wedi gwneud peth fel hyn i'w fab! Mi fydda i'n dal i wenu wrth gofio'r antur honno, ond mae 'na dristwch hefyd. Roedd William yn hogyn direidus – fo oedd un o'r ddau a ddwynodd geir y côr ger Capel Tyddyn Siôn – ac mi fu farw'n llawer rhy ifanc.

Roedd fy symud i ysgol Llithfaen yn datrys problem y teithio, gan fod chwiorydd fy nhad yn byw yn y pentref a finnau'n cael lletya efo nhw yn ystod yr wythnos, o fewn cyrraedd hwylus i'r ysgol. Mae'r teimlad o newid byd wrth newid ysgol yn fyw iawn yn fy nghof. Roedd plant Llithfaen i gyd yn gymeriadau gwreiddiol, plant y chwarel yn ddiwahân, a'r prifathro, 'Ifas y Sgŵl', yn adlewyrchu'r gymuned. 'Mi thrasia' i di,' oedd ei fygythiad pan fyddai rhywun yn mynd dros y tresi. Dwi'n cymryd mai addasiad o *thrash* oedd y ferf fygythiol, er nad oes gen i lawer o gof am y gosb yn cael ei gweithredu.

Roedd cerddoriaeth yn bwysig i Mr Evans, yn yr ysgol a'r tu allan. Bu'n arwain côr yn y pentref ar un adeg ac mi godwyd llwyfan arbennig iddyn nhw gael canu arno mewn eisteddfod yng nghapel yr Annibynwyr. Ond pan oedd y côr wrthi'n ei morio hi, mi dorrodd y llwyfan nes bod y cantorion yn bendramwnwgl ar lawr. Doedd digwyddiadau felly ddim yn cynhyrfu llawer ar neb cyn bod sôn am reolau iechyd a diogelwch.

Mi fyddai plant yr ysgol yn mynd o gwmpas ardaloedd yr Eifl i gynnal cyngherddau. Dwi'n cofio'n arbennig am neuaddau Trefor, Llan'haearn a Nefyn. Dyna, mae'n debyg, pryd y dechreuais innau gael blas ar berfformio, yn canu caneuon bach ysgafn. Adeiladau sinc oedd y neuaddau ac mi fyddai pob un yn orlawn yn y dyddiau di-deledu hynny. Mae'n chwith gweld sut mae'r oes wedi newid.

Yn un ar ddeg oed, daeth yn amser symud i ysgol Pwllheli – nid i'r ysgol ar ben yr allt lle byddai'r plant mwy academaidd yn mynd ond i Ysgol Frondeg. Roedd hwnnw'n brofiad i'w drysori gan ein bod ni'n cael y cyfle i gyfarfod athrawon diwylliedig a oedd yn ein gwneud ni'n well dinasyddion. Roedd y pwyslais ar actio a chanu yn fy siwtio fi i'r dim ac yn symbyliad i fod yn rhan o'n cymdeithas ar ôl gadael yr ysgol.

Doedd cyrraedd yr ysgol honno chwaith ddim yn fater syml i hogyn o Lwyndyrys. Beic oedd hi am ryw filltir i lawr y lôn i ddal bỳs Llithfaen – 'Bỳs Mat' fel y byddem ni'n ei alw.

Yn yr oes honno roeddwn i'n medru gadael y beic ar ochr y clawdd bob bore gan wybod yn iawn y byddai o'n dal yno yn y prynhawn. Mi fyddai'r bỳs yn orlawn – mor llawn fel nad oedd y dreifar am fentro mynd â'r llwyth cyfan heibio swyddfa'r heddlu a thrwy'r Maes ym Mhwllheli rhag ofn i'r plismyn ddechrau ein cyfri. Felly mi fyddai hanner y plant yn cael eu rhoi i lawr wrth ymyl yr hen wyrcws i gerdded gweddill y daith.

Roedd Ysgol Frondeg yn lle ardderchog i feithrin fy niddordeb mewn cerddoriaeth a drama. Nansi Mai Evans o Drefor oedd yr athrawes a gafodd fwyaf o ddylanwad arnaf yn hynny o beth. Roedd hi'n wych efo cerddoriaeth ac mi fyddai hi'n ysgrifennu operâu bach bob blwyddyn. Roedd un yn ymwneud â'r 'gwydr glas' ac un arall yn addasiad o'r *Pied Piper of Hamlin*. Roedd hi'n methu'n glir â chael enw Cymraeg boddhaol am hwnnw. Fodd bynnag, mi aeth am dro un diwrnod i gyffiniau Aberdaron a beth welodd hi wrth adwy ffarm ond yr enw Llanllawen. 'I'r dim!' meddai, a dyna sut y cafodd opera *Llygod Llanllawen* ei henw. Roeddem ni wrth ein bodd yn cymryd rhan mewn pethau felly.

E. O. Humphreys ac Idwal Owen oedd y ddau athro fyddai'n ein dysgu ni i actio. Roedd y ddau yn aelodau o gwmni drama poblogaidd Glan-y-môr ym Mhwllheli, Mr Humphreys yn actio a Mr Owen yn gwneud y setiau ac ati. Yn yr un dosbarth â fi roedd actores dalentog iawn, Kathleen Jones o Aber-soch, a ddaeth yn enwog drwy Gymru gyfan ymhen blynyddoedd fel mam Wali Tomos yn *C'mon Midffíld*. Mi fu'r ddau ohonom yn cyd-actio mewn drama o'r enw *Tri Hen Longwr* gan Elizabeth Watkin Jones, a oedd yn fwy enwog am ei nofelau, megis *Luned Bengoch*. Drama ddigri oedd hon, er ei bod yn sôn am gyfnod y rhyfel. Bu Kathleen – neu Catrin Dafydd i ddefnyddio ei henw proffesiynol – yn actio efo ni yng Nghwmni Drama Llwyndyrys ymhen blynyddoedd ac roedd hi'n gwmni difyr

Tîm gymnasteg Ysgol Frondeg. Fi sydd ar y dde yn y rheng flaen.

ar y daith honno i Batagonia. Roedd ei farwolaeth yn gynharach eleni yn golled enfawr i'w ffrindiau ac i fyd y ddrama yng Nghymru.

Yn fuan ar ôl imi ddechrau yn Ysgol Frondeg aeth y si ar led yno fod y Gwilym Griffith 'ma o Lwyndyrys yn arfer canu caneuon digri. Felly mi fyddwn yn cael fy ngyrru o gwmpas y gwahanol ddosbarthiadau i berfformio caneuon fel 'Neithiwr cefais freuddwyd mawr, gweld y byd â'i ben i lawr ...' neu 'A welsoch chi Owen dau funud, mae newydd brynu mul, ac Owen a'r mul yr un ffunud, yn rhodio â golwg go gul ...'. Mae'n siŵr y byddai plant heddiw yn meddwl nad oeddwn i'n gall, ond roeddwn i'n cael derbyniad gwych ar y pryd.

Dechreuodd Nansi Mai hefyd fynd â chriw ohonom o gwmpas neuaddau mewn cylch ehangach na'r rhai y byddem yn mynd iddyn nhw o ysgol Llithfaen. Mewn neuaddau mawr sinc fel rhai Aberdaron a Rhoshirwaun y byddem yn perfformio a phob un o'r rheiny eto'n llawn joc. Wrth ganu mi fyddwn i'n gwisgo mwstásh a locsyn a gâi eu dal yn eu lle gan lastig rownd fy nghlustiau; ar ganol ambell gân byddai hwnnw'n dechrau llithro a'r gynulleidfa wrth ei bodd. Roedd y profiadau yma'n help i wneud rhywun yn gartrefol ar lwyfannau ac mae gen i ddyled fawr i Nansi Mai.

Cymeriad diddorol arall yn yr ysgol oedd Harri Jones, dyn byr o Roshirwaun gyda llygaid croes. Pe byddai rhywun yn camymddwyn yn y 'lein' wrth fynd i mewn i'r ysgol, byddech yn meddwl eich bod chi'n ddiogel gan ei fod o'n edrych ar rywun arall, ond chi'ch hun fyddai'n derbyn y glustan. Dwi'n ei gofio fo'n dweud wrth Gwyn Ffridd unwaith, 'Tynnwch y wên yna oddi ar eich gwynab.' Doedd Gwyn

Trip ysgol rownd Pen Llŷn – dyma Bob Efailnewydd a finnau ar draeth Porthor

ddim yn un anodd ei drin ond y tro yma dyma fo'n cymryd arno afael yn y 'wên' a'i tharo yn ei boced. Chwerthin wnaeth Harri Jones – roedd o'n gwybod beth oedd direidi. Roedd o'n ddyn hynod ddiwylliedig ac yn uchel ei barch gan bawb.

Mi fûm i'n cynrychioli'r ysgol mewn gemau pêl-droed ac yn chwarae yn safle'r canolwr blaen am gyfnod i ryw dîm Eryri, ond welais i'r un bêl rygbi; wyddwn i ddim am fodolaeth y gêm honno nes imi gyrraedd fy arddegau a chlywed pethau fel 'Cymru'n ymosod ar y pump ar hugain' ar y radio. Wyddwn i ar y ddaear beth oedd ystyr peth felly ond yn raddol roedd o'n gwawrio arna i, yn enwedig gan fod Cymru'n cael hwyl dda arni yr adeg honno. Heddiw mae gen i ddiddordeb mawr yn hynt y tîm cenedlaethol. Roedd mabolgampau'r ysgol yn digwydd unwaith y flwyddyn a Bob o Efailnewydd a finnau'n ddau o rai cyflym fyddai'n rasio llawer yn erbyn ein gilydd.

Capten Jones o Drefor fyddai'n arwain cyngherddau'r ysgol. Roedd ganddo gyfraniad pwysig arall i'r lle fel hen gapten llong. Byddai'n cynnal dosbarth yn yr ysgol i ddysgu sgiliau morwrol i hogia oedd yn bwriadu mynd yn llongwyr. Wn i ddim pryd y daeth y gwersi hynny i ben ond roedd o'n beth da i'w wneud. Roedd gan y Capten offer y môr yn yr ysgol ac mi fyddai'n dangos sut i sbleisio rhaffau a sgiliau felly. Roedd paratoi plant yn ymarferol ar gyfer byd gwaith yn elfen werthfawr o addysg Ysgol Frondeg.

Alun Williams oedd y prifathro pan oeddwn i yno. Roedd o'n byw ym Mhen Lôn Llŷn heb fod ymhell o'r ysgol. Mi fyddai'n manteisio ar y ffaith honno drwy fynd â rhai o'r hogia o'r ysgol i'w helpu i drin ei ardd. Mi fûm i yno droeon yn gwneud pethau felly.

Roedd Llithfaen yn enwog am eira ond cyndyn iawn oedden nhw i adael i blant aros adra o'r ysgol heb fod raid. Adeg yr eira mawr yn 1947 roedden nhw wedi paratoi lle inni aros ambell noson yn yr ysgol ramadeg, Ysgol Penrallt, yn hytrach na cholli gormod o ysgol. Rhyw bluan o eira heddiw ac mi gaiff y plant i gyd eu gyrru adra.

Ar gyfnod etholiad cyffredinol mi fyddem yn cael lecsiwn yn yr ysgol. William Owen Jones o Fynydd Nefyn oedd ymgeisydd Plaid Cymru. Nid annerch y byddai William ond pregethu. Does ryfedd iddo fynd i astudio mewn coleg diwinyddol. Aeth i weithio wedyn yn yr Amgueddfa Werin yn Sain Ffagan. Roedd o'n byw yng Nghaerdydd yr adeg honno ac yn pregethu unwaith yn y Barri. Ar ddiwedd un oedfa cynigiodd rhywun ei gludo adra. 'Diolch yn fawr,' meddai Wil ond ar ôl cyrraedd Caerdydd mi gofiodd fod ganddo gar yn y Barri!

Doedd dim sôn yn fy nyddiau ysgol i am fynd am dripiau i wledydd tramor i sgio ac ati, fel sy'n digwydd heddiw. Yr hyn oeddem ni'n ei gael, oedd lawn mor werthfawr, oedd teithiau o gwmpas Pen Llŷn. Bob blwyddyn mi fyddem yn ymweld ag eglwysi a mannau diddorol eraill a phobl yn dod yno i ddweud yr hanes wrthym ni. Mae gen i lun ohonom unwaith ar lan môr Porthor, ar ôl bod yn eglwys Aberdaron a chael ei hanes hi gan y person.

Unwaith yn unig y buom ar daith allan o Gymru a hynny i'r *Festival of Britain* yn Llundain yn 1951. Bwriad yr ŵyl honno, mae'n debyg, oedd ailgodi ysbryd pobl ar ôl llanast y bomio ac ati yn yr Ail Ryfel Byd. Cyn inni fynd roedd Gwyn Ffridd wedi bod adra o'r ysgol yn sâl. Doedd gan neb ohonom ffôn ac felly cefais i fy ngyrru ar fy meic i ddweud wrth Gwyn beth oedd angen inni fynd efo ni o ran tywelion ac ati. Ar fy ffordd yn ôl euthum ar draws llechen oedd ar y lôn a chael codwm a thorri fy mraich. Aeth Mam â fi i'r dref at y 'Doctor Esgyrn', Richard Williams. Doedd dim sôn am anesthetig, dim ond rhoi'r fraich yn ôl yn ei lle efo'i ddwylo – wel sôn am boen! Roedd y Doctor Esgyrn yn ddyn poblogaidd ac yn cadw siop ym Mhwllheli efo sgerbwd dynol yn y ffenest. Chefais i erioed wybod a oedd o'n feddyg go iawn.

Teithio dros nos ar y trên a wnaethom i'r *Festival of Britain*. Roeddem yn cysgu mewn cerbyd gyda gwlâu bync. Roedd William Owen Jones yn cysgu ar y gwaelod â'i geg yn agored a hogyn na wna' i mo'i enwi yn cysgu uwch ei ben, ac yn methu dal ei ddŵr. Digon yw dweud nad oedd Wil yn ddyn hapus!

Pan ddaeth yn adeg gadael yr ysgol mi gefais awydd am gyfnod i fynd i weithio i ryw ffatri ym Miwmares. Go brin y byddwn i wedi bod yn gartrefol mewn lle felly ac wrth i'r amser nesáu mi sylweddolais fod y byd amaethyddol yn nes at fy nant. Roedd brawd Mam, a oedd yn hen lanc, yn ffarmio yn Plas a Mam yn cadw tŷ iddo fo. Credid y byddai'n beth call imi fynd at Yncl Wmffri i ffarmio. Mae 'Humphrey', gyda llaw, yn hen enw yn y teulu ac yn enw canol i minnau, er na fyddaf yn ei arddel yn aml. Cyn dechrau ffarmio efo Yncl Wmffri mi dreuliais flwyddyn neu ddwy yng Ngholeg Glynllifon, i gael fy mharatoi o ddifri ar gyfer yr yrfa amaethyddol. Newydd gau yr oedd coleg amaethyddol Madryn wrth droed Garn Fadryn yr adeg honno a'r gweithgareddau wedi cael eu trosglwyddo i Lynllifon, a oedd yn llawer llai o le nag ydyw heddiw. Criw bach ohonom oedd yno, yn lletya yn y coleg.

Clywid llawer o sôn am ysgolion yn y cyfnod hwnnw lle'r oedd athrawon yn siarad Saesneg efo'r plant a hwythau'n Gymry iawn eu hunain. Doedd hynny ddim yn digwydd o gwbl yn fy ysgolion cynradd i nac yn Ysgol Frondeg ond mi roedd o'n rhemp yng Nglynllifon. Doedd y prifathro, Major Davies, ddim yn fodlon siarad gair o Gymraeg. 'Williams Crop' yr un fath. Ond roedd rhai da yn eu plith nhw, fel 'Wil Iâr' a oedd yn dysgu pwnc a ddaeth yn fuddiol iawn i mi ymhen blynyddoedd. Roedd 'Jones Dairy' yn un gwych efo buchod llaeth. Yn ôl eu pynciau y byddai pob athro yn cael eu hadnabod. Byddai'n dda gallu dweud mai Wil Cwac Cwac oedd yr arbenigwr ar hwyaid, ond doedd hynny ddim yn wir!

Roedd yr hen ysfa i berfformio yn dal i gyniwair yn ystod cyfnod Glynllifon. Aeth criw ohonom un flwyddyn i Gymdeithas Capel Bwlan nid nepell o'r coleg, i gystadlu yn yr eisteddfod. Hwnnw, meddai pobl y capel, oedd yr unig dro iddyn nhw weld criw o Lynllifon yn cymryd rhan. Mi fwynheais bob munud o'r cyfnod yng Nglynllifon.

Ffermio

Ar ôl cael fy nysgu mewn coleg amaethyddol am y datblygiadau diweddaraf ym myd ffermio, roeddwn i'n edrych ymlaen at roi rhai o'r syniadau hynny ar waith yn ymarferol efo fy ewythr ym Mhlas Newydd. Ond doedd addysg Glynllifon, nac unrhyw goleg arall, yn fawr o help pan ddeuai'n fater o geisio darbwyllo Yncl Wmffri i symud efo'r oes. Ceffylau gwedd oedd ei ddiléit pennaf ac roedd hi'n joban ofnadwy ei gael i brynu Ffyrgi bach, yr un peiriant yr oedd pob ffarmwr arall yn dyheu amdano yn y cyfnod hwnnw. Roedd Yncl Wmffri yn mynnu y byddai olwynion tractor yn caledu'r tir ac na fyddai tatws yn dod drwodd yn y rhychau. Mae'n siŵr bod rhywfaint o wirionedd yn ei ddadleuon, ond mi gytunodd i newid yn y diwedd.

Diwrnod gwaith ar y ffarm. Wmffri, Mam, Nhad a finnau

Diwrnod dyrnu yn yr hen ddyddiau yn ardal Llwyndyrys

Plas Carnguwch, gyda llaw, fyddai hen drigolion yr ardal yn galw'r ffarm ble gwelais i olau dydd am y tro cyntaf, a Phlas yng Ngharnguwch sy'n cael ei gofnodi fel cartref fy mam ar dystysgrif priodas fy rhieni. Wn i ddim pryd y newidiwyd yr enw i Plas Newydd. Ond mae mwy na hynny i'r stori. Roeddwn i yn yr Amgueddfa Werin yn Sain Ffagan rai blynyddoedd yn ôl ac yn edrych ar fap o ogledd Cymru a oedd yn dyddio o'r ddeunawfed ganrif. 'Plas Newydd' oedd enw'r ffarm yr adeg honno hefyd; mae'n rhaid bod rhywun wedi penderfynu ei adfer.

Mi gefais innau brofiad o weithio efo ceffylau gwedd yn fy nyddiau cynnar fel ffarmwr. Roeddwn i braidd yn ifanc i aredig efo nhw ond mi fûm yn eu defnyddio ar gyfer gorchwylion megis hel gwair – tynnu hen gribin olwynion fawr efo'r ceffylau. Er cymaint o gontract oedd darbwyllo Yncl Wmffri i newid o'r wedd i'r tractor, pan gyrhaeddodd y Ffyrgi bach mi ysgafnhaodd beth wmbrath ar ein gwaith o ddydd i ddydd. Roedd y Ffyrgi'n aruthrol o beiriant ac mae'n dda gen i ddweud fod gen i un yn fy meddiant hyd heddiw.

Godro efo llaw y byddem ni ar y dechrau ac mae gen i

gof clir am yr injan odro gyntaf yn cyrraedd. Doedd y beudy ddim yn dal mwy na rhyw bedair ar ddeg o fuchod, efo rhigol i garthu. Roedd mwy o waith efo'r ychydig hynny nag sydd heddiw efo llawer mwy o warheg godro, gan fod peiriannau'n gwneud y rhan fwyaf o'r gwaith. *Alfa Laval* oedd yr injan odro gyntaf a honno y tu mewn yn y beudy, nid mewn cwt y tu allan fel sy'n arferol heddiw.

Datblygiad arall oedd dechrau sychu gwair, cyn oes y silwair. Roeddem wedi gwneud llawr ar un o'r cowlesi a chael ffan fawr i chwythu drwyddo, o dan y gwair. Ond pan gyrhaeddodd y silwair wrth gwrs mi newidiodd popeth ac mi ddaeth yr hen ewythr i ddygymod â'r pethau newydd o dipyn i beth.

Hanner cant a dwy o aceri oedd y ffarm yr adeg honno a hynny'n cynnwys pum neu chwe acer o fawnog, a oedd yn dir digon diffaith. Roedd hen drigolion Llithfaen a'r ardaloedd cyfagos wedi bod wrthi am flynyddoedd yn hel mawn yn y fan honno a'r tir wedi dirywio wrth i'r wyneb gael ei dynnu ymaith. Mae 'na fawndir go fawr o hyd ar waelod Mynydd Carnguwch. Dwi'n cofio olion y das fawn wrth ein tŷ ni a'r pridd yn dywyll pan oeddem yn palu'r ardd, ond roedd y cyfnod pan fyddai teuluoedd yn llosgi mawn wedi mynd heibio cyn fy nyddiau i.

Roedd y gegin foch yn rhan bwysig o'r ffarm; yno y byddai'r gwyddau yn ogystal â'r mochyn yn dod i ddiwedd eu heinioes. Roedd diwrnod lladd mochyn yn achlysur o bwys pan oeddwn i'n blentyn. Cymeriad o Lithfaen, Eliseus Williams, Bryn Celyn, fyddai'n dod acw i gyflawni'r gwaith. Roedd yr hen Seus yn mynd o gwmpas ffermydd yr ardal i gyd ac yn cael darn o'r mochyn ym mhob man am ei lafur. Byddem ninnau'n rhannu darnau o'r mochyn ymhlith cymdogion a ffrindiau a hwythau'n gwneud yr un fath efo ni. Tipyn o orchwyl oedd halltu'r bacwn a'r ham. Dwi'n medru gweld fy nhad wrthi rŵan, yn halltu coblyn o fochyn mawr tew, llawn saim. Y gred yr adeg honno oedd bod saim yn beth maethlon.

Diwrnod dyrnu, wrth gwrs, oedd yr achlysur mawr arall. Dwi'n cofio pan oeddwn i'n aros efo'r ddwy fodryb yn Llithfaen, dod i lawr i Plas gan wrando ar sŵn rhuo'r dyrnwr mawr. Un diwrnod roedd fy nghefnder Myrfyn o'r Ffôr a finnau yn cario sacheidiau o ŷd i fyny i lofft yr ŷd oedd uwchben stolion y ceffylau, pan gawsom brofiad go erchyll. Roeddwn i newydd ddod allan o'r adeilad a Myrfyn hanner ffordd i lawr yr ystol a dyma lawr y llofft yn rhoi o dan bwysau'r ŷd. Rhaid bod yna rhwng pymtheg ac ugain tunnell o ŷd wedi disgyn. Petai un ohonom wedi bod ar y gwaelod ni fyddai ganddo obaith o gwbl ond drwy drugaredd, roedd y lle'n wag. Anghofia i byth y cwmwl o lwch yn dod allan drwy'r drws a finnau'n edrych i mewn drwyddo ac yn gweld Myrddin ar yr ystol heb gael ei gyffwrdd. Mi fuom wrthi am wythnosau yn gogro'r ŷd er mwyn cael gwared â'r cerrig oedd wedi dod o'r waliau. Sôn am job fudur oedd hi; mae'n syndod fod ein hysgyfaint ni wedi dal y straen.

Roedd Yncl Wmffri yn dipyn o gymeriad. Dwi'n cofio dwy gyfnither i mi yn Plas ryw noson ac yn methu'n glir â'i gael o i olchi'i wallt. Doedd o ddim yn credu mewn hen lol felly. 'Ylwch golwg sy' ar eich pen chi, Yncl Wmffri. Gadewch i ni ei olchi fo ichi,' meddai'r genod. Yn y diwedd mi adawodd iddyn nhw ddod â'r ddysgl i mewn a dyna lle'r oedd y ddwy wrthi'n rwbio efo'r sebon. Ond cyn bo hir mi flinodd yr hen ewythr ar y ddefod a dyma fo'n cydio yn y ddysgl a lluchio'r dŵr am eu pennau nhw nes bod y ddwy yn socian!

Bu Yncl Wmffri farw yn y 1960au. Roedd ei le yn wag a'r ffarm bellach yn fy ngofal i.

Potsio

Doedd 'arallgyfeirio' ddim yn rhan o eirfa amaethyddol yr oes, ond bryd hynny fel heddiw roedd yna ffyrdd o ennill ambell geiniog ychwanegol a gwneud i'r dorth fynd ymhellach. Un o'r dulliau hynny oedd potsio, traddodiad digon diniwed nad oedd neb yn ei ystyried yn drosedd. Neb, hynny yw, ar wahân i'r ciperiaid a'r gyfraith, fel y dysgais innau yn fy ieuenctid ffôl.

Roedd afon fach yn llifo drwy ein tir ni a honno'n un dda am eogiaid. Yno, am wn i, y bwriodd brenin y potsiars lleol ei brentisiaeth. Roedd William 'Eus' Williams, Rhydau, yn byw ar y terfyn â ni, yn gymeriad heb ei ail ac yn heliwr a photsiwr na welais ei debyg. Mi fu farw'n ddiweddar yn gant ac un oed ac yn ôl y sôn roedd o'n dal i chwarae mig â'r ciperiaid yn ei nawdegau. Roedd dal cwningod, ffureta a

William 'Eus' Evans, y pen potsiwr, yn dringo dros ben llidiart yn gant oed

photsio samwn dan bob gewyn iddo fo. Mae gen i lun ohono fo'n dringo dros ben giât ac yntau wedi cyrraedd ei gant. Fo, gyda llaw, oedd tad William Thomas, yr hogyn oedd yn cerdded efo fi i ysgol Pentreuchaf a'r hogia mawr yn gwneud inni eistedd ar docynnau baw gwartheg. Bu farw William yn bedair ar hugain oed ar ôl cael canser yn ei wddf, a'i dad yn cael oes mor faith.

Mi glywais i rai yn yr ardal yn dweud fel y bydden nhw'n gweld golau tortsh 'Wil Eus' ar lan yr afon ambell noson dywyll ac yn mynd ato fo i gael sgwrs, ond erbyn iddyn nhw gyrraedd y lle, doedd dim golwg ohono fo. Yr hyn fyddai o wedi ei wneud oedd mynd i swatio dan y dorlan gan feddwl mai'r cipar oedd ar ei warthaf. Doedd dim modd iddo ddengid ond mi wyddai'n iawn sut i ddiflannu.

Dull y ciperiaid o weithio oedd mynd i fyny ochr Mynydd Carnguwch, fel eu bod nhw'n medru cadw golwg ar yr afonydd ac os oedd yna unrhyw fflach o olau, i lawr â nhw. Ond ddalion nhw mo'r hen William Eus erioed. Un o'i gyfrinachau oedd cadw'n glir o afon Erch, yr afon fawr, a chadw at yr afon fach oedd yn tynnu llai o sylw'r ciperiaid.

Y dechneg wrth botsio oedd cael gafael ar dortsh dda ac unwaith bod rhywun yn gweld yr hen eog, rhoi golau reit ar ei lygad o nes ei fod o'n llonyddu. Wedyn byddai angen tryfar arnoch chi, sef darn o haearn efo tri neu bedwar pigyn ar ei flaen. Roedd y rheiny'n bachu yn y fath fodd nad oedd hi'n bosib i'r pysgodyn ddengid o'i afael. Roedd gwneud tryfar yn grefft angenrheidiol yng ngefail y gof ers talwm ac yn hollol anghyfreithlon wrth gwrs. Os oes cipar ymhlith y darllenwyr, gallaf eich sicrhau fod fy nhryfar i wedi hen ddiflannu i rywle erbyn hyn!

Mae'r eogiaid yn dod i fyny'r afon tua mis Tachwedd ond mi fyddai'r hen botsiars yn cael hwyl ar eu dal nhw ym mis Chwefror. Roedd ganddyn nhw enw ar y pysgod hynny, sef Chwefroriaid. Roedden nhw wedi tyfu i fwy o faint ac felly'n fwy o werth i deuluoedd. Dwi'n cofio fy ewythr a'i ffrindiau yn mynd allan un noson a dod yn ôl efo llond celwrn o Chwefroriaid mawr cryfion. Wedyn bydden nhw'n eu trin a'u rhoi yn y simdda i fygu. Roedd hynny'n ffynhonnell werthfawr o fwyd yn yr oes honno. Potsio at eu hiws eu hunain y bydden nhw wrth gwrs; chlywais i erioed sôn yn yr ardal yma am neb yn gwerthu'r pysgod i wneud pres.

Un potsiar a gafodd ddihangfa a'i gwnaeth yn dipyn o arwr gwerin oedd Wil Crymllwyn. Roedd dau gipar wedi ei ddal ar lan yr afon yn Llwyndyrys. Mi roddodd Wil bob cydweithrediad iddyn nhw, dweud dim gair o'i ben a gadael iddyn nhw ei arwain i ffwrdd yn dawel braf. Gan ei fod o'n bihafio mor dda, roedd y ciperiaid yn naturiol yn llacio'u gafael a dyma William yn gweld ei gyfle. Yn fwyaf sydyn mi lamodd Wil o'u gafael nhw, rhedeg nerth ei draed a threulio'r nos yn cuddio yn nhai gwair rhai o'r ffermydd. Ddaliwyd mohono fo wedyn, a chlywodd o ddim mwy am y peth.

Rhyw ddeunaw oed oeddwn i pan gefais fy record droseddol. Roeddwn wedi mynd allan liw nos ar fy mhen fy hun – i afon Erch fel oeddwn i wirionaf. Doedd hi ddim yn noson lwyddiannus. Welais i'r un pysgodyn ond roedd gwaeth i ddod. Wrth ddod adra linc-di-lonc drwy'r caeau, mi wnes y camgymeriad o oleuo tortsh er mwyn cael gweld wrth groesi ambell ffos. Mi welodd y cipar y golau a daeth dau neu dri ar fy ôl ar draws y cae. Lluchiais y dryfar a dechrau rhedeg ond cefais fy nal. Yn anffodus mi gawson nhw hyd i'r dryfar hefyd, felly doedd dim llawer o ddiben gwadu'r cyhuddiad. Derbyniais fy nghosb – dirwy o bunt neu ddwy os cofiaf yn iawn – gan yr Henadur Emyr Roberts, Bodwrdda yn Llys Ynadon Pwllheli. Roedd fy rhieni'n ei gaddo hi braidd ac yn chwerthin ar yr un pryd. Cofnodwyd

yr anffawd mewn penillion gan fy hen gyfaill, y diweddar
Wili Griffith, Pwllheli – yn ysgrifennu dan ei enw barddol,
Ap Polycell!

Y cantwr yn y doc

Roedd Gwilym o Blas Newydd
Yn clirio rhyw hen gwt,
Pan sylwodd ar goes tryfer
Ddeg troedfedd, nid rhyw bwt,
A phump o bigau arni hi
Fu'n tynnu llawer llafn o'r lli.

A gan nad oedd eisteddfod
Na chyngerdd gan y llanc,
At dorlan las yr afon
Y crwydrodd yn ei wanc;
A thremio wnaeth i'r dyfroedd oer
Wrth olau llusern fwyn y lloer.
Anghofiodd am fodolaeth
A phresenoldeb dyn,
A gwyliodd yno'n ddyfal
Gan lwyr fwynhau ei hun,
Heb feddwl unwaith fod 'run gŵr
Yn gwylio'i gampau ger y dŵr.

Yn sydyn ar ei wyneb
Llewyrchodd golau cry'
A chlywodd lais o'r cysgod
Yn galw arno'n hy';
Lluchiodd y dryfer yn ei fraw
A ffwrdd ag ef drwy'r dŵr a'r baw.

Fe glywai sŵn y cipar
Yn dilyn wrth ei gwt,
Ac wrth bob cam fe deimlai
Ei wynt yn mynd yn bwt;
A phan yn croesi cwr y rhos
Fe faglodd ar ei hyd i'r ffos.

Ymbiliodd ar i'r cipar
Anghofio am y tro,
Ond nid yw hwnnw, meddir,
Yn gollwng dim dros go';
A chyn bo hir fe gafodd wŷs
I fynd i'r dre gerbron y llys.

'A! Trosedd felltigedig,
Pum punt o ddirwy'n wir,
A theirpunt at y costau
Mae'r peth yn warth i'r Sir,'
Taranai'r Ynad gwych ei stad
A'r lleill yn nodio'u cadarnhad.
A rhaid dinistrio'r dryfer
Ar ôl yr helynt blin,
Rhag ofn i'r cipar druan
Ei derbyn yn ei din
Pe deuai eto gylch ei stad
I wylio dros fuddiannau'r wlad.

Dychwelyd i Blas Newydd
A wnaeth y llencyn toc,
A'i galon yn ei sgidiau
Ar ôl bod yn y doc;
Gwell iddo'r fun a aeth â'i serch
Na thryfer mwy wrth afon Erch.

Ap Polycell

Canu ac Adrodd

Fel adroddwr y gwnes i fy ymddangosiad cyntaf ar lwyfan. Yn Eisteddfod y Groglith yn y Ffôr y bu hynny, pan oeddwn i'n rhyw dair oed. Mae gen i gof bach am gerdded yno yn llaw Mam, a oedd wedi bod yn dysgu'r darn i mi, a'r rhyfeddod ydi 'mod i'n cofio'r pennill hyd heddiw. Wn i ar y ddaear pwy oedd yr awdur, nac o ble y cafodd trefnwyr yr eisteddfod afael ar y campwaith, ond dyma'r geiriau:

Roedd gan Wili ful bach a throl,
Roedd gan Ifan hen fwnci'n neud lol.
Fydda i'm yn lecio hen fwnci'n neud lol
Ond mi faswn i'n lecio cael mul bach a throl.

Yn fy siwt Steddfod y Groglith – un o'r rhai cyntaf efo trowsus llaes

Roeddwn i wedi cael siwt newydd ar gyfer yr achlysur ac mi fedraf gofio'r llwyfan anferth yma'n codi ofn arna i wrth imi gerdded tuag ato. Llwyd o'r Bryn oedd yn beirniadu ac yn ôl Mam mi ddywedodd yn ei feirniadaeth, 'Mi gododd 'na un seren newydd tua'r canol ac mi oedd o'n ysgubol!' Fi, mae'n debyg, oedd hwnnw – ond stori Mam oedd honno cofiwch!

Roedd Eisteddfod y Groglith yn beth mawr yn yr ardal yr adeg honno ac mae hi'n dal i gael ei chynnal, er nad yw'n denu cymaint o bobl ag y gwnâi yn yr oes ddi-deledu honno.

Mi fûm yn cystadlu ar yr adrodd a'r canu yn y Ffôr am flynyddoedd a chael siwt newydd bob tro! Wnes i ddim dechrau

ymhél â'r Urdd nes 'mod i'n rhyw ddeunaw oed; doedd
hynny ddim yn draddodiad cryf yn yr ardal. Felly roedd y
capel, eisteddfodau a chyngherddau bach yn ddylanwad go
fawr ar fy mywyd.

Ar wahân i Mam, yr un oedd yn fy hyfforddi i adrodd
oedd Robert John Williams, Bryn Meirion, Llithfaen. Roedd
o'n adroddwr gwych ei hun ac mi enillodd o yn y
Genedlaethol yn Nolgellau yn 1949. Pwy fyddai yno'n cael
hyfforddiant yr un adeg â fi oedd Stewart Jones, un a wnaeth
enw iddo'i hun fel adroddwr ymhell cyn iddo ddod yn
enwog fel actor ac fel Ifas y Tryc. Roeddwn i wrth fy modd
yn gwrando ar Stewart, efo'r llais mawr dwfn hwnnw yn
adrodd pethau fel 'Peiriannau' gan J. M. Edwards. Darnau
ysgafn oeddwn i'n eu hadrodd fel arfer. Roedd Stewart
dipyn yn hŷn na fi ac roedden ni'n cystadlu mewn adrannau
gwahanol.

Er imi ganu cryn dipyn ar lwyfan, dwi'n meddwl mai
adrodd oedd yn rhoi'r boddhad mwyaf. Mi gafodd hynny
dipyn o hwb pan ddeuthum i gysylltiad â'r Urdd am y tro
cyntaf. I Miss Williams, Lluest, Pentreuchaf y mae'r diolch
am hynny. Roedd Miss Williams yn glamp o gymeriad, yn
fethedig iawn ond yn gwrthod gadael i hynny amharu dim ar
ei bywyd. Byddai'n mynd o gwmpas mewn honglad o gadair
olwyn a oedd yn galw am dipyn o sgiliau llywio. Nid troi'r
olwynion â'i dwylo y byddai Miss Williams ond gwthio lifrau
yn ôl a blaen. Pan fyddai'n dal y bỳs ym Mhentreuchaf dwi'n
siŵr y byddai hi'n cymryd pum munud i ddod i mewn! Bu
Miss Williams yn rhedeg Aelwyd yr Urdd ym Mhentreuchaf
am flynyddoedd maith. Hi ei hun oedd yn ysgrifennydd,
trysorydd a chadeirydd ac roedd pawb o bobl ifanc yr ardal
yn aelodau, heb wybod eu bod nhw. Miss Williams fyddai
wedi ymaelodi ar eu rhan, heb ofyn eu caniatâd; doedd dim
gwahaniaeth a oedden nhw'n mynychu cyfarfodydd neu'n
dangos unrhyw ddiddordeb yn y gweithgareddau.

Mi ffoniodd Miss Williams ein tŷ ni un noson. 'Gwranda,' meddai, 'Ma' isio iti drio ar yr adroddiad digri yn Eisteddfod Genedlaethol yr Urdd yn Nolgellau.'

'Dwi ddim yn perthyn i'r Urdd,' meddwn i.

'Wyt yn tad,' atebodd. 'Rwyt ti'n aelod ers blynyddoedd.'

'Y Gwybedyn Marw' gan Syr O. M. Edwards oedd y darn gosod, felly dyma fynd at Robert John i ddysgu'r darn. Cefais lwyfan ac er fy syndod mi enillais. Daeth Jean, fy ngwraig, yn fuddugol yn yr un gystadleuaeth ddwy neu dair blynedd yn ddiweddarach.

Roedd llwyddiant yn creu mwy o awydd ac mi fûm yn cystadlu mewn eisteddfodau bach a mawr ar hyd a lled gogledd Cymru a'u mwynhau nhw i gyd. Yn ogystal â'r boddhad o fod ar lwyfan, roedd hyn yn dod â phres poced digon derbyniol. Weithiau mi fyddwn yn cystadlu mewn dwy eisteddfod ar yr un noson. Dwi'n cofio mynd i Gaersalem, Cyffordd Llandudno unwaith ac ymlaen wedyn i eisteddfod arall yn Sir Fôn a chael gwobr yn y ddwy. Er bod pobl wedi bod yn darogan tranc yr eisteddfodau bach ers blynyddoedd, maen nhw wedi goroesi'n rhyfeddol 'er gwaetha pawb a phopeth' ac mae 'na gystadleuwyr ffyddlon yn dal wrthi ac yn ennill gwobrau bach da mewn mannau fel y Ffôr y dyddiau yma. Mae'n debyg mai uchafbwynt fy ngyrfa fel adroddwr oedd ennill ar yr adroddiad digri yn Eisteddfod Genedlaethol y Fflint yn 1969.

Un eisteddfod fawr nad oes sôn amdani bellach oedd Eisteddfod y Dolig yn Llithfaen. Roedd hwnnw'n achlysur mawr i ni fel teulu yn y 1940au ac un o'm hatgofion cynnar ydi gweld fy ewythr yn rigio'r ceffyl yn y cart i fynd â ni i gyd yno, heibio i Felin Carnguwch a thafarn y Vic ac i'r capel mawr a oedd yn orlawn ar gyfer yr eisteddfod. Yno y cefais i'r blas cyntaf ar ganu mewn eisteddfodau. Dydw i ddim yn un i hiraethu'n bruddglwyfus am y gorffennol ond mae

Tenorydd yr Eifl, a thair cadair a enillodd am ganu – yr unig dair a ddyfarnwyd am yr unawd yn eisteddfodau Llŷn ac Eifionydd

gweld y capel mawr hardd yn mynd â'i ben iddo yn hynod o chwithig.

Y dylanwad mawr arna i o ran y canu oedd fy ewythr Hugh Evan Roberts, Tenorydd yr Eifl. Doedd o ddim yn perthyn i mi o ran gwaed ond roedd o'n briod â chwaer fy nhad. Yr hen Denorydd fyddai'n dysgu'r tonic sol-ffa i mi ac mi euthum drwy'r arholiadau hynny hyd at tua'r bumed radd. Sol-ffa sy'n dod gyntaf i mi hyd heddiw, er 'mod i'n dilyn rhywfaint o hen nodiant.

Ychydig iawn o wersi piano gefais i. Byddaf yn edmygu cyfeilyddion yn ofnadwy ac yn ei gweld hi'n ddawn werth ei chael. Wn i ddim a fuaswn i wedi medru dod yn gyfeilydd fy hun efo mwy o ymdrech ond doedd gen i ddim llawer o ddiddordeb yn y gwersi.

Dwi'n cofio rhedeg allan o wers biano gan Mrs Gwyneth Sol Owen, Penrhos, er mwyn cael mynd i gyfarfod mawr yn Chwilog lle'r oedden nhw'n sefydlu cangen leol o Undeb

Amaethwyr Cymru, yr FUW. Roeddwn i'n awyddus i fod yno er mwyn cael clywed y dadleuon; roedd pêl-droed a llu o bethau eraill hefyd yn cael blaenoriaeth dros y piano a wnaeth y gwersi ddim para'n hir.

Roedd Tenorydd yr Eifl, fel y mae ei enw'n awgrymu, yn denor o fri ac yn gwybod i'r dim sut i gynhyrchu llais. Byddai'n rhoi pwyslais mawr ar gymryd gofal o'r corff ac edrych ar ei ôl ei hun. Wrth fynd allan yn y gaeaf, pan fyddai'r gwynt yn fain, roedd ganddo bob amser sgarff am ei geg rhag ofn i'r gwynt amharu ar y laryncs. Dwi'n ei gofio fo'n ymarfer drwy orwedd ar lawr, er mwyn tynhau'r diaffram, gan osod pwysau mawr ar ei fol ac anadlu yn erbyn hwnnw. Dyna, hyd y gwn i, mae'r cantorion mawr yn ei wneud heddiw. Fel hyn roedd y Tenorydd yn medru cael gwynt i gynhyrchu'r brawddegau hir a'u dal nhw'n gryf hyd y diwedd.

Mewn eisteddfod yn Lerpwl y cafodd ei urddo fel Tenorydd yr Eifl, a hynny gan Llew Tegid a oedd yn arwain. Roedd Tenorydd yn rhoi'r gorau i ganu'n swyddogol pan oedd David Lloyd yn dod i'w fri ac yn ymfalchïo ei fod wedi cael gwahoddiad i ganu mewn cyngerdd a gynhaliwyd yn rhywle yn Sir y Fflint i godi arian i yrru David Lloyd i goleg cerdd yn Llundain.

Wnaeth Tenorydd ddim cyrraedd yr un uchelfannau â David Lloyd ond mi wnaeth ddigon o arian drwy ganu i godi tŷ i'w deulu yn Llithfaen. Ei gamgymeriad oedd gwneud y tŷ o sinc. Ei frawd-yng-nghyfraith, brawd fy nhad, oedd wedi rhoi'r syniad hwnnw yn ei ben ar ôl bod yn byw yng Nghanada lle'r oedd tai sinc yn bethau cyffredin. Ond cam gwag oedd codi tŷ sinc yn Llithfaen, efo'r holl niwl a glaw. Roedd hynny'n golygu llawer o waith cynnal a chadw. Erbyn hyn mae cartre'r hen Denorydd wedi ei ddymchwel a phobl ddiarth wedi codi adeilad newydd yn ei le.

Un arall a fu'n fy nysgu i ganu oedd Gruffydd Davies,

Côr Llithfaen yn ennill yn Eisteddfod Butlins efo Griffith Davies yr arweinydd yn cael ei longyfarch gan y cyfeilydd Rhiannon Williams.

Treddafydd, arweinydd Côr Llithfaen a oedd yn yr un llinach â ni ar ochr mam fy nhad. Fo oedd y dyn aeth yn flin pan ganodd fy Yncl Dic 'Yr asyn a fu farw' ar draws y 'Comrades' song of hope' yn ei ddiod. Yn ystod yr wythnos byddai Gruffydd Davies yn cynnal cyfarfodydd tonic sol-ffa yn Llithfaen ac mi fyddwn innau'n mynd yno ato fo. Roedd ganddo gôr plant hefyd ac mi fûm i'n perthyn i hwnnw. Wedyn mi ddatblygodd yn gôr cymysg enwog a enillodd yn y Genedlaethol fwy nag unwaith.

Pan oeddwn i'n llefnyn yn fy arddegau mi fu Mam a finnau'n canu ar yr un adeg yng Nghôr Llithfaen. Roeddem yn aelodau pan oedd y côr yn cystadlu yn adran y corau gwledig yn yr Eisteddfod Genedlaethol ym Mhwllheli yn 1955. 'Ew, dan ni'n canu'n dda,' meddwn i wrth Tenorydd yr Eifl ar ôl un o'r ymarferion olaf. 'Gwranda,' atebodd, 'mi fydd 'na ddeg o gorau eraill yn cystadlu ac mae pob un ohonyn nhw'n meddwl 'run fath yn union â chdi.' Trydydd gawsom ni, mewn cystadleuaeth a oedd yn cynnwys corau Niwbwrch, Brynsiencyn a Thrawsfynydd – tri chôr anodd eu curo bob amser.

Un atgof arall sydd gen i am eisteddfod Pwllheli ydi bod gan gwmni *Cranes* babell fawr ar y maes. Roedd un o hogia Llithfaen, Harri Vaughan Williams, yn organydd da iawn. Felly dyma Harri yn dechra'i tharo hi ar yr organ a channoedd o bobl yn hel o'n cwmpas i ganu. Roedd pethau'n mynd o nerth i nerth nes i Dr Eirwen Gwynn ddod allan o'r pafiliwn efo neges gan ei gŵr, Harri Gwynn, yn gofyn inni dawelu. Roedd y rhialtwch y tu allan yn tarfu ar weithgareddau'r llwyfan – cwyn flynyddol bron yn y Genedlaethol hyd heddiw. Mi gafodd Harri Vaughan gryn sylw ymhen blynyddoedd fel ŵyr a oedd yn ofalus iawn o'i daid, Griffith R. Williams, a fu fyw ymhell dros ei gant. Mi fyddai Harri hefyd yn chwarae'r organ i ddiddanu cwsmeriaid yn y caffi y bu'n ei gadw ar y Maes ym Mhwllheli.

Mi fûm i'n ysgrifennydd Côr Llithfaen fy hun am gyfnod pan oedd Griffith Davies yn arweinydd. Un o uchafbwyntiau'r flwyddyn oedd trefnu cyngherddau Gŵyl y Banc bob haf. Roedd hynny pan oedd Gŵyl y Banc ar ddechrau Awst ac ambell dro mi fyddem yn ddigon lwcus i gael unawdydd a oedd yn disgleirio yn yr Eisteddfod Genedlaethol yr un adeg. Un flwyddyn roeddem wedi gwahodd parti o'r enw Cantorion Gwalia i gymryd rhan. Nid oeddem yn gwybod fawr ddim amdanyn nhw cyn hynny, nac wedi clywed sôn am y dyn o'r enw Rhys Jones a oedd yn eu harwain. 'Yr unig beth ydw i isio yn y sêt fawr ydi mainc,' meddai wrthyf i ymlaen llaw, a dyma nhw'n dechrau canu. Dyna gyngerdd nad anghofia i byth mohono. Dim ond criw bach oedden nhw ond roedd pob un yn unawdydd o fri. 'Y ddau wladgarwr' oedd y gân gyntaf a phrofiad newydd oedd ei chlywed yn cael ei chanu gan barti yn hytrach na deuawd. Pan ddaethon nhw at 'Fy ngwlad, fy ngwlad ...' mi neidiodd pawb yn eu seddi.

Flwyddyn arall mi gawsom Richie Thomas i ganu. Roedd o wrth ei fodd yn cael dod i Lithfaen. Cyn iddo ganu mi ofynnodd i mi fynd efo fo er mwyn iddo gael golwg iawn ar y capel. Mi safodd yn y pulpud ac edrych o'i gwmpas. 'Gwranda funud bach,' meddai, 'fedra i ddim canu yn fa'ma o gwbwl.' Roedd hyn yn dipyn o ergyd ond y maen tramgwydd oedd y carped ar y llawr. Mi ofynnodd i mi ei helpu i'w dynnu a dyna lle y buom ein dau ar ein pengliniau yn codi'r carped, oedd wedi ei hoelio i'r llawr. 'Mae'n bwysig cael dy draed ar goedyn os wyt ti am ganu,' meddai. 'Fedar neb ganu'n iawn ar garpad.'

Flynyddoedd wedyn mi glywais Charles Williams yn dweud rhywbeth tebyg. Arwain Sgubor Lawen yr oedd o. Sêr y noson oedd y tri brawd o'r Hen Felin, Llwyndyrys, sef Owain, Elis ac Iorwerth a oedd yn betha bach ar y pryd, yn canu. A dyma Charles yn dweud wrtha i, 'Cofia gadw coed dan draed y rhain.' Roedd o mor debyg i'r hyn yr oedd Richie Thomas wedi'i ddweud.

Mae'n debyg mai'r wobr eisteddfodol orau ddaeth i fy rhan oedd cyfarfod fy ngwraig Jean. Roeddem yn adrodd yn erbyn ein gilydd, er ei bod hi ychydig flynyddoedd yn fengach! Roedd hi'n adroddwraig dda iawn, os caf ddweud, yn cael ei dysgu gan y Parchedig Glyn Jones, Aberdaron. Mewn eisteddfod yn Rhoshirwaun y gwnaethom gyfarfod gyntaf. Ar ôl priodi yn 1961 dyma ddechrau cystadlu efo'n gilydd, nid yn erbyn ein gilydd. Mi gawsom lwyfan ar yr ymgom yn y Genedlaethol yn y Drenewydd yn 1965. Mi wn am lawer sydd wedi cyfarfod eu gwŷr a'u gwragedd drwy eisteddfodau; rheswm dda dros gadw'r hen draddodiadau yn fyw!

Priodas Jean a minnau yn Uwchmynydd ym Mawrth 1962

Tua diwedd y 1950au neu ddechrau'r 1960au, roedd cefnder i Mam, Dic Penfras, yn rhoi'r gorau i arwain Côr Llwyndyrys ac yn awyddus i gael rhywun ifanc i gymryd yr awenau. (Gyda llaw, rhaid peidio cymysgu hwn â Richard Parry Hughes, y 'Dic Penfras' o genhedlaeth ddiweddarach sy'n un o hoelion wyth ein cwmni drama.) Fy unig brofiad cyn hynny o arwain côr oedd yn ystod fy nghyfnod yn Ysgol Frondeg, pan gefais gyfle gan fy athrawes, Nansi Mai Evans, i arwain côr yr ysgol. Felly pan aeth Dic ati i geisio fy mherswadio, mi gytunais i roi cynnig ar arwain Côr Llwyndyrys. Mi aeth popeth yn iawn ac mi fûm wrthi yn eu harwain am rai blynyddoedd.

Un o'n profiadau mwyaf diddorol yn y cyfnod hwnnw oedd canu yn Neuadd Albert yn Llundain fel rhan o'r

Côr Llwyndyrys ar ôl ennill yn Eisteddfod y Groglith...

...a buddugoliaeth arall yn Eisteddfod Bwlchtocyn

Parti Arvonia yn cynnal cyngerdd ym Mhwllheli. 'Meri Jôs Bach' yn
y canol, a Nansi Mai ar y dde yn y rhes flaen

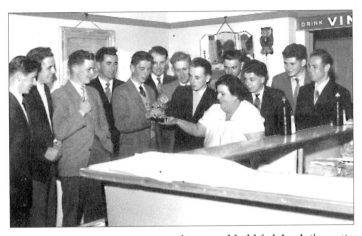

Parti Arvonia yn canu yn y siop chips a roddodd fodolaeth i'r parti, a Margaret, merch 'Meri Jôs Bach' yn hel y casgliad

cyngerdd Mil o Leisiau. Roedd rhyw aelod o Gymdeithas y Gwyneddigion wedi clywed ein bod ar ein ffordd yno a'r canlyniad oedd gwahoddiad i gynnal ein cyngerdd ein hunain yn un o gapeli Cymraeg Llundain y noson cyn y cyngerdd mawr. Roedd hyn yn dipyn o antur i ni ac mi gafwyd noson dda iawn a'r capel yn llawn.

Wn i ddim faint o'r gynulleidfa Lundeinig honno oedd yn gyfarwydd â'r math o broblemau sy'n codi wrth ichi gynnal gweithgareddau diwylliannol yng nghefn gwlad. Tipyn yn anwastad oedd blwyddyn Côr Llwyndyrys, efo'r prysurdeb mwyaf yn ystod y gaeaf. Wrth i'r haf gyrraedd roedd y cynhaeaf gwair a'r cneifio a'r dyrnu yn ei gwneud hi'n anodd cael pawb at ei gilydd. Mae hynny, i raddau, yn wir am weithgareddau'r ardal hyd heddiw.

Yn wahanol i Gôr Llithfaen, ni fu Côr Llwyndyrys erioed yn y Genedlaethol. Roedd cystadleuaeth y corau gwledig, lle'r oedd Llithfaen wedi cael cryn lwyddiant, wedi diflannu erbyn hynny a ninnau'n rhoi mwy o bwyslais ar gadw cyngherddau nag ar gystadlu.

Roedd canu wedi dod yn beth pwysig iawn yn ein bywydau ni fel pobl ifanc, efo sawl math o weithgareddau yn digwydd ar yr un pryd. Tua'r adeg pan oeddem yn dechrau dreifio ceir mi fyddai criw ohonom yn mynd i'r dre ar nos Sadwrn ac yn galw i gael tships yn siop Meri Jôs Bach ar ein ffordd adra. Ymhlith y criw byddai tri brawd cerddorol o Benmorfa, sef Richard, Deio ac Arwyn, tri o'm cefndryd o'r ardal yma, Walter Hendra Bach, Dic o Dudweiliog a finnau. Dyma ddechrau canu yn y siop, a chael pob anogaeth gan Meri Jôs Bach, a darganfod bod nifer yn ein plith efo lleisiau digon derbyniol a oedd yn asio'n dda efo'i gilydd. Enw swyddogol y siop oedd Arvonia ac felly mi benderfynwyd sefydlu Parti Meibion Arvonia – ie wir, efo 'v'! O leia roedd hynny'n well na phetaem ni wedi galw ein hunain yn Meri Jôs Bach! Yn y diwedd roedd dwsin ohonom, i gyd rhwng rhyw 17 a 25 oed ac mi fuom yn mynd o gwmpas y wlad am flynyddoedd yn cynnal cyngherddau ac yn cystadlu mewn eisteddfodau. Hogia Penmorfa oedd asgwrn cefn y côr, er na fu Richard efo ni'n hir cyn symud i weithio yn y de ble bu'n arwain Côr Cil-y-coed, neu Caldicot. Deio fyddai'n arwain y canu ym Mharti Arvonia a finnau'n arwain y cyngherddau a'r nosweithiau. Mae'n drist meddwl nad oes yr un o'r tri brawd talentog o Benmorfa bellach ar dir y byw.

Un o sêr y nosweithiau oedd Ioan Wyn o Chwilog a fyddai'n canu caneuon gwerin. Pen melyn bach direidus oedd o yr adeg honno ac roedd y gynulleidfa wrth ei bodd efo fo. Mi ddaeth wedyn yn blismon ac yn aelod blaenllaw o Gymdeithas Bêl-droed Cymru. Roedd yr hogia i gyd yn gwisgo siwtiau du a dici-bôs ac mi gawsom beth wmbreth o hwyl.

Roeddem yn cynnal cyngerdd un noson o haf ym Mhenrhyndeudraeth a phedwar ohonom yn teithio yno yn Austin 16 sylweddol Walter Roberts, Hendre Bach, Rhos-fawr. Y teithwyr eraill oedd Neli o Lithfaen – ein cyfeilyddes,

Ioan Wyn a finnau. Yn yr hen droadau cas y tu draw i Bentrefelin, a oedd yn waeth yr adeg honno, collodd Walter reolaeth ar y car ac mi grwydrodd dros y llinell wen gan sgriffio ochr car ymwelydd o Sais a oedd yn dod i'n cwfwr. Prin fod marc ar yr Austin 16 ond roedd y cerbyd arall wedi ffarwelio â dau o'i ddrysau.

Dyma Walter yn mynd allan. '*I'm sorry,*' meddai, '*I've had an accident!*'

'*Well yes,*' meddai'r Sais, '*and you've made a bloody good job of it too!*' Bu'n rhaid inni fynd i swyddfa'r heddlu i wneud datganiadau a chriw yr Austin yn eu gwneud nhw yn Gymraeg, gan ychwanegu at ddicter y gyrrwr arall.

Yn naturiol roeddem dipyn bach yn hwyr yn cyrraedd Penrhyndeudraeth. Roedd y cyngerdd wedi dechrau ac Arwyn Penmorfa yn arwain y noson yn fy lle. Dyma finnau wedyn yn cymryd yr awenau ac yn dechrau dweud ambell stori ond gyda'r gynulleidfa'n gweiddi ar fy nhraws, 'Dan ni newydd glywed honna o'r blaen!' Roedd Arwyn wedi dwyn fy straeon i i gyd ar ôl eu clywed mor aml!

Dro arall, ar noson oer, farugog, roedd Deio a finnau, Neli Llithfaen a'r hen Lwyn wedi bod yn Aberdaron mewn cyngerdd. Ar y ffordd adra roedd yn rhaid stopio ym Mhistyll ble'r oedd Llwyn yn byw. Roedd Llwyn yn eistedd yn sedd ôl y car dau ddrws a Neli yn eistedd o'i flaen ac yn gorfod mynd allan i wneud lle iddo. 'Tyrd yn dy flaen, Llwyn,' meddai Neli gan rynnu ar y lôn, 'Dwi ddim yn mynd i sefyll yn fa'ma'n hir.'

'Sefaist ti rioed y diawl,' meddai Llwyn. Enghraifft arall o hiwmor caled Llithfaen – roedd Neli yn ddi-blant.

Un o'n profiadau mwyaf cofiadwy efo Parti Arvonia oedd rhannu llwyfan efo Jac a Wil yn neuadd Rhoshirwaun. Roedd yr hen neuadd sinc yn dal rhai cannoedd ac mae gen i gof o sbecian drwy'r llenni a gweld y lle yn orlawn. Y ddeuawd o Gefneithin oedd y dynfa wrth gwrs ond welais i

*Lleisiau'r Llwyn. Rhes ôl: Twm Pant-yr-hwch, Bobi'r Hafod, fi.
Canol: Jano'r Hafod, Gwyneth Crymllwyn Bach. Rhes flaen: Eirlys
Parry, Edwina, Llew Wyn*

erioed yn fy mywyd gynulleidfa mor fawr mewn neuadd
bentref.

Mi fu gennym barti bach wedyn yn Llwyndyrys o'r enw
Lleisiau'r Llwyn – un dipyn bach yn fwy cyfoes. Roedd
gennym ddwy gitâr ac organ drydan ac mi fyddem yn canu
pethau gwladgarol a chrefyddol, gan fynd o amgylch y capeli
ar nosweithiau Sul ac i gymanfaoedd a chyngherddau. Dwi'n
ein cofio ni'n cynnal cyngerdd ym Mhwllheli, wedi ei drefnu
gan Alun, Llên Llŷn a grŵp ifanc newydd sbon yn rhannu
llwyfan efo ni. Dyna'r tro cyntaf i mi ddod ar draws y Tebot
Piws. Roedd ein parti ni ar y llwyfan yn canu'n ddigon
parchus ac yn methu'n lân â dirnad pam fod pobl wedi
dechrau chwerthin. Erbyn deall, roedd Dewi Pws yn
dawnsio a gwneud stumiau y tu ôl inni.

Roedd sawl cymeriad yn perthyn i Leisiau'r Llwyn hefyd
a neb yn fwy felly na'r dyn garej o Bentreuchaf, Thomas
Griffith – Twm Pant yr Hwch. Mae merched Pant yr Hwch
yn gantoresau gwych ac yn enillwyr cenedlaethol ond nid

pawb sy'n gwybod fod eu tad yn ei ddydd yn dipyn o giamstar ar y gitâr. Roedd o efo ni pan wnaethom record ac mae o yn y llun a dynnwyd yr adeg honno. Roedd un o'n hunawdwyr ni, Eirlys Parry, yn enwog drwy Gymru. Aelodau eraill oedd Marian, Hen Felin; Llew; Edwina o'r Ffôr a Jano a Bobi, yr Hafod. Un cof da sydd gen i am Twm ydi cyngerdd yn festri Bwlchtocyn un noson. Roedd pob un ohonom ar fynd i'w le ar y llwyfan yn barod i ganu pan ddywedodd Twm, 'Mae'n rhaid i mi gael rwbath dan fy nhroed.' Roedd arno angen hynny er mwyn cael ei ben-glin yn ddigon uchel i gynnal y gitâr. Dyma fo'n edrych o dan y llwyfan ac yn meddwl ei fod o'n gweld ystol fechan – *step ladder*. I mewn â fo o dan y llwyfan i'w thynnu allan ond beth gafodd o ond anferth o ystol fawr! Roedd y gynulleidfa yn ei dyblau cyn inni ddechrau perfformio.

Dro arall roeddem yn cynnal cyngerdd yn Horeb, Uwchmynydd, efo côr meibion bach yn canu rhyw ddarn o'r enw '*Soldier's Farewell*' efo Rhiannon Williams, y Ffôr yn ein dysgu ni. Roedd angen canu rhyw 'wwww' hir yn un lle, sy'n medru bod yn effeithiol iawn. Dau 'second tenor' a oedd yn canu hwn oedd Twm a'r diweddar Ted Tyddyn Cestyll. Roeddem yn cael gwrandawiad astud a phawb yn canu'n ddisgybledig nes i'r ddau yn y cefn ddechrau chwerthin a'r 'wwww' yn troi'n 'hw hw hw'. Mi ddaeth y cyfan i ben a'r côr a'r gynulleidfa i gyd yn ymuno yn y chwerthin. Roedd Twm yn berfformiwr a oedd yn medru diddanu unrhyw gynulleidfa yn ei ffordd unigryw ei hun.

Mi fu Lleisiau'r Llwyn wrthi am flynyddoedd lawer yn cynnal peth wmbreth o gyngherddau, a chrwydro'r gogledd i gyd.

Ar ôl hynny bu gennym ni barti bach llai ac mi fu hwnnw hefyd yn cynnal cannoedd o nosweithiau. Roedd mwy o alw am wasanaeth partïon llai o faint, gan fod llai o waith gwneud bwyd ar eu cyfer! Yr aelodau y tro yma oedd Llew,

y saer coed o Ros-fawr; fy nwy ferch Nia a Medwen, a
Gwenda o Fynytho ar yr acordion. Byddai Llew a'r genod yn
canu a finnau'n adrodd ac yn arwain.

Er bod arwain nosweithiau llawen yn ddigon tebyg i
arwain cyngherddau, mae'n amlwg fod angen rhai sgiliau
gwahanol. Dwi'n cofio Ryan Davies yn dweud ar y radio
unwaith fod ganddo fo bob amser ei stori gyntaf er mwyn
mesur tymheredd y gynulleidfa. Mae hynny'n rhoi syniad
ichi beth fydd yn dderbyniol ac yn gwneud iddyn nhw
chwerthin. Yn aml mi fyddaf i'n dechrau drwy ofyn i'r
gynulleidfa ganu, er mwyn codi'r hwyl. 'Calon Lân' fydd hi'n
aml iawn; mae pawb yn gwybod honno. Wedyn, eu canmol
nhw am ganu mor dda ac ychwanegu, 'Gwahanol iawn oedd
profiad y pregethwr hwnnw o Gaernarfon, Anthropos.
Roedd Anthropos yn pregethu yn rhyw gapel bach yn y
wlad. Dyma'r gynulleidfa'n codi i ganu a wir, mi oeddan
nhw'n canu'n ddifrifol. Ac ar ganol y pennill cyntaf dyma
betha'n mynd yn fflop, neb yn canu'r un nodyn. Ar y diwedd
dyma un o'r blaenoriaid yn dweud wrth Anthropos, "Mae'n
ddrwg iawn gen i fod y canu mor wael, ond o leia does 'na
ddim cythral canu yma." "Wel nag oes," meddai Anthropos,
"Ond does 'na ddim cythral fedar ganu yma chwaith!" ' Mae
honna'n un reit dda yn aml i danio cynulleidfa.

Mi fydd pobl yn gofyn weithiau o ble mae rhywun yn
cael ei straeon ar gyfer y nosweithiau llawen. Nid stoc o jôcs
pwrpasol sydd gen i ond straeon gwir wedi eu clywed;
dweud straeon y bydda i ar ôl eu clywed am bobl go iawn –
er bod lle i ychwanegu tipyn bach o liw. Un fantais ydi bod
straeon go iawn, sy'n codi o blith cymeriadau'r ardal, yn
haws eu cofio.

Dyna ichi honno am John Jones Post a oedd yn cadw
siop, swyddfa bost a phwmp petrol yn Efailnewydd. Y drefn
efo'r pwmp petrol cynnar hwnnw oedd troi handlan i gael y
petrol i mewn i jar galwyn ac wedyn tywallt hwnnw i mewn

Arwain cymanfa yng nghartre'r Pwyliaid ym Mhenrhos ...

i'r car. Un diwrnod mi alwodd Americanwr heibio mewn *Buick* anferth, y car mwyaf a welodd John erioed. *'Fill it up my man,'* gorchmynnodd yr Americanwr. Roedd John yn chwysu chwartia wrth ddal i lenwi a'r perchennog yn eistedd yn y car heb gymryd unrhyw sylw ohono, a'r injan yn dal i droi. Yn y diwedd dyma John yn cnocio ffenest y car ac yn dweud, *'Will you please switch off, you're gaining on me!'*

Mi glywais y stori yna'n cael ei phriodoli i bobl mewn ardaloedd eraill ond yn bendifaddau, John Jones Post biau'r hawlfraint!

Mae capel bach Llwyndyrys wedi chwarae rhan hollbwysig ym mywyd yr ardal ac yn fy mywyd innau. Mi gaf sôn mwy am hynny eto ond datblygiad digon naturiol yn fy hanes oedd arwain cymanfaoedd canu, gan ddechrau'n lleol ac ehangu'r cylch fesul tipyn. Roedd mynd mawr ar y gymanfa ym Mhistyll am flynyddoedd, nes i'r Methodistiaid lyncu'r rheolau iechyd a diogelwch i gyd a deddfu fod y capel yn rhy beryglus oherwydd y system drydan. Rydw i wedi

*... ac arwain Hen Wlad fy Nhadau yn seremoni'r cadeirio yn
Eisteddfod yr Urdd Llŷn ac Eifionydd.*

arwain llawer yn Sir Fôn ac yn dal i wneud hynny. Mae gan
bawb ei ffordd ei hun o arwain ond mi fydda i'n hoffi cael y
gynulleidfa i ganu'n dawel, dawel ac wedyn eu tynnu nhw
allan. Un o'r cymanfaoedd gorau oedd un Capel Penmount,
Pwllheli a gâi ei chynnal bob Sul y Blodau, gan ddenu
torfeydd mawr pan oedd cymanfaoedd yn eu hanterth.
Dydi'r bri ar fynd i'r gymanfa ddim yr un fath erbyn hyn;
rydym ni wedi colli llawer. Fodd bynnag, mae cymanfa
Capel y Beirdd yn dal yn rhyfeddol. Mae'r adeilad mor
hynafol a'r cof gwerin am hen feirdd Eifionydd yn
ychwanegu at rin y lle. Erbyn hyn maen nhw'n cael côr bach
i hybu'r canu ac mae hynny'n gwneud byd o wahaniaeth.
Rhaid 'mod i wedi arwain cannoedd lawer o gymanfaoedd
dros y blynyddoedd ond mae'r hen wefr cyn gryfed ag

erioed pan fydd y gynulleidfa yn ei morio hi mewn mannau fel Capel y Beirdd.

Cael fy nerbyn i'r Orsedd gan yr Archdderwydd W. R. P. George yn Eisteddfod yr Wyddgrug 1991

Derbyn Medal Syr T. H. Parry-Williams gan R. Alun Evans ym Mhrifwyl y Faenol, 2005

Dechrau Cwmni Drama

Roedd hanner cyntaf y 1960au yn gyfnod bywiog ym myd y ddrama Gymraeg. Yn genedlaethol mi sefydlwyd Cwmni Theatr Cymru dan arweiniad Wilbert Lloyd Roberts, gan greu cnewyllyn o actorion proffesiynol Cymraeg am y tro cyntaf. Yn nes adra mi sefydlwyd Y Gegin, y theatr fach arloesol yng Nghricieth, a daeth un o'i sylfaenwyr, Wil Sam, i'w fri fel dramodydd ac awdur. Doedd dim cysylltiad uniongyrchol rhwng y digwyddiadau hynny a sefydlu Cwmni Drama Llwyndyrys ond yn seicolegol mae'n rhaid bod y brwdfrydedd newydd ynglŷn â'r ddrama wedi bod yn sbardun i ninnau.

Doedd dim traddodiad drama cryf yn yr ardal ond roedd ambell un wedi dechrau teimlo'r awydd i actio, diolch i waith Mrs Ellis, Fferm Llwyndyrus, yn yr ysgol Sul. Roedd hi wedi bod yn addasu rhai o hanesion y Beibl yn ddramâu

Chwarae rhan Largo mewn pasiant tua 1961, efo Richard Sgubor Fawr ac Evan Llwyndyrys

*Aelodau Clwb Ffermwyr Ifanc Godre'r Eifl mewn drama
gyda chast o ferched yn unig*

bach i'w perfformio gan y plant. Yn ddiweddarach mi ysgrifennodd ddrama i oedolion, yn arbennig ar gyfer cwmni Llwyndyrys. Ar yr un pryd roeddwn innau wedi dod adra o Goleg Glynllifon ac yn dal i gofio'r pleser a gawn wrth actio efo criw Ysgol Frondeg. Roedd criw ohonom yn arfer mynychu Clwb Ffermwyr Ifanc a oedd yn cyfarfod ym Mhistyll, yn yr hen ysgol oedd wedi cau. Roedd o'n glwb unigryw a dweud y lleiaf. Doedd dim trydan yn yr adeilad ond byddai un o hogia Pistyll – Eurwyn 'Bwff' oedd ei lysenw – yn gwneud anferth o dân yn y simnai i'n cadw ni'n ddiddos. Roedd y golau'n cael ei gyflenwi gan lamp baraffîn, un *Bialaddin* yr oedd angen ei phwmpio cyn iddi oleuo. Weithiau byddem wedi cael rhywun pwysig yno i ddarlithio ond hanner ffordd drwy'r ddarlith byddai'r golau yn gwanio'n sydyn a'r darlithydd yn cael seibiant tra byddai rhywun yn pwmpio fel cath i gythral i'n cadw i fynd am bwl arall. Ymhlith y criw hwnnw y cododd y syniad o sefydlu cwmni drama.

Ein cynhyrchiad cyntaf oedd *Y Tri Hen Longwr*, y ddrama gan Elizabeth Watkin Jones yr oeddwn wedi actio ynddi o'r blaen yn Ysgol Frondeg. Dyma benderfynu mynd â hi i gystadleuaeth drama Eisteddfod y Ffermwyr Ifanc yn Llanrwst a dod yn ail drwy Gymru. Pedwar oedd yn y cast: Elisabeth, Tyddyn Felin; fy nghefnder Alun Williams o'r Ffôr; Llew Jones o Ros-fawr, a finnau. Mae Alun a Llew yn dal yn gysylltiedig â Chwmni Drama Llwyndyrys, Alun yn un o'n hactorion mwyaf ffyddlon a thalentog, a Llew, a roddodd y gorau i actio rai blynyddoedd yn ôl, yn dal i helpu efo'r llwyfan a'r setiau.

Ar ôl y llwyddiant cynnar yn Llanrwst buom yn perfformio'r *Tri Hen Longwr* mewn nifer o neuaddau pentref. Doedd gennym ni ddim set o fath yn y byd i fynd efo ni yr adeg honno, dim ond ffonio'r canolfannau ymlaen llaw a gofyn iddyn nhw ddarparu cadair, bwrdd a soffa. Ym Mhencaenewydd roeddem yn perfformio mewn festri gyfyng iawn a'r tri hen longwr yn cuddio dan y bwrdd am eu bod nhw'n ofni rhyw ddynas gas a oedd yn chwilio amdanyn nhw. Ar y bwrdd roedd llwyth o boteli gwin a chwrw ac mi gododd Alun yn rhy uchel nes bod y bwrdd yn troi a'r poteli i gyd yn sgrialu. Roedd digwyddiadau felly yn ychwanegu at fwynhad y gynulleidfa, faint bynnag oedd yr embaras i'r actorion.

Dro arall roeddem yn perfformio drama yn Nhrefor a Nansi Roberts, Mynydd Mawr a finnau ar y llwyfan. Roeddem wedi dweud ein llinellau ac yn rhoi'r ciw i Llew ddod i mewn ond doedd dim hanes ohono. Roedd rhywun wedi mynd ato yn y cefn i ofyn am bris gosod ffenest newydd mewn tŷ a busnes y saer wedi cael blaenoriaeth am y tro dros alwadau'r llwyfan.

Rhwng Te a Swper oedd y ddrama gyntaf inni ei

pherfformio ar y llwyfan newydd yn y capel a hynny adeg y
Nadolig. Drama bwrdd cegin oedd hi a does gen i ddim
syniad pwy oedd yr awdur. Yn y dyddiau cynnar hefyd fe
wnaethom *Tŷ Clyd* gan Wil Sam. Roedd hiwmor a
thafodiaith Wil fel petai wedi ei wneud ar ein cyfer a thros y
blynyddoedd mi berfformiodd y cwmni y rhan fwyaf o
ddramâu'r athrylith o Ros-lan. Mi sgwennodd Mrs Ellis,
Fferm Llwyndyrus ddrama o'r enw *Yr Eryr* ar ein cyfer ni
hefyd. Yn honno roedd Alun yn gwisgo cilt i chwarae rhan
Sgotyn. Roedd y ddrama wedi'i seilio ar hen goel mai'r
ffordd i ladd eryr – sef y salwch – oedd lladd eryr go iawn, ei
fwyta a chwythu ar ba bynnag ran o'r corff oedd yn dioddef.

Gan ein bod ni i gyd yn ddibrofiad o ran y ddrama, mi
drefnwyd i gael Huw Davies o Bwllheli i ddod atom i'n
haddysgu ac i helpu efo'r cynhyrchu. Roedd 'Huw Tegai' yn
gofrestrydd o ran ei waith, yn ddyn amlwg yn yr Orsedd ac
wedi ennill y wobr gyntaf yn y Genedlaethol am drosi
drama. Daeth atom i ddechrau dan gynllun oedd gan y
Cyngor Sir i hybu gweithgareddau ieuenctid; wedyn
daethom dan nawdd Cymdeithas Addysg y Gweithwyr, y
WEA. Yn ogystal â chynhyrchu ein dramâu – weithiau ar ei
ben ei hun neu ar y cyd efo fi – byddai Huw yn darlithio inni
ar hanfodion y ddrama ac ar rai o'r dramodwyr clasurol fel
Beckett a Chekhof. Er bod hyn yn mynd â ni i feysydd go
wahanol i'r comedïau bach ysgafn yr oeddem yn fwyaf
cartrefol yn eu perfformio, doedd o'n gwneud dim drwg inni
ehangu tipyn ar ein gorwelion.

Cyfieithodd Huw Davies ddrama gan Sidney Carver o'r
enw *Y Trydydd Dydd* ar ein cyfer. Drama grefyddol oedd
honno, oedd eto'n mynd â ni i dir newydd. Mae hi'n ddrama
afaelgar sy'n sôn am yr hyn a ddigwyddodd ar ôl y
Croeshoeliad wedi i Barabas gael ei ryddhau. Jean fy
ngwraig oedd yn chwarae rhan Mair Magdalen, Alun oedd
Pedr a Llew yn Rhufeiniwr.

Y Trydydd Dydd *Rhes gefn: Alun, Jean, Elizabeth, Megan. Yn eistedd: Hannah Williams, fi, John Owen. Llew, a Nel Owen*

Mae dewis dramâu addas bob amser yn her. Rhaid meddwl am y cast a pheidio â hepgor neb. Ambell flwyddyn hwyrach y byddai criw mawr ohonom ac mi welais adeg pan fyddai dwy ddrama hir ar y gweill ar yr un pryd. Y flwyddyn wedyn gallai'r cast fod yn llawer llai. Roedd anghenion y gynulleidfa hefyd yn dylanwadu ar y dewis. Weithiau, pan fyddai rhywun yn ffonio i ofyn inni fynd yno i berfformio, byddem yn gofyn iddyn nhw pa ddrama fuasen nhw'n hoffi ei gweld. Ymhlith y dramâu eraill y buom yn eu perfformio yn ystod ein deng mlynedd gyntaf mae *Emyr Caradog* gan Edna Bonnell, ein drama hir gyntaf a berfformiwyd ar sawl llwyfan ledled gogledd Cymru.

Drama fer wedi'i hysgrifennu gan Wil Sam i godi arian at Gymdeithas yr Iaith yw *Mae Rhywbeth Bach*. Yn ein cynhyrchiad ni roedd Brian Glanrhyd yn actio cyw-gweinidog ac yn treulio llawer o'i amser yn eistedd ar stôl. Nid rhyw stôl odro galed oedd hon, ond un â chlustog sylweddol yn rhan o'i gwneuthuriad. Yn ddiarwybod i Brian roedd Alun wedi tywallt galwyn neu ddau o ddŵr am ben y stôl cyn y perfformiad a bu'n rhaid i'r hen Brei fynd drwy ei linellau 'â'i din yn wlyb odano' – i ddyfynnu o englyn gan Dic Jones. Mi gewch dipyn mwy o hanesion am ryw gastiau felly yn y penodau nesaf.

Pan oeddem wrthi unwaith yn y Ffôr, roedd gennym ddwy ddrama fer i'w perfformio ond hyd yn oed wedyn roedd y rhaglen braidd yn rhy fyr i wneud noson ohoni. Roeddwn i newydd glywed rhyw ddau ifanc o Sir Fôn yn canu mewn noson lawen ym Mhwllheli ac yn cael hwyl arni. Dyma ofyn iddyn nhw ddod draw ac mi gytunon gan ddweud eu bod nhw'n dod ag un arall efo nhw. Felly mi gawsom wasanaeth Tony ac Aloma ac Idris Charles – y tri am seithbunt a chweigian!

Heb inni sylweddoli bron, roedd y cwmni drama wedi sefydlu patrwm o berfformio tair drama fer neu un ddrama dair act bob blwyddyn yn ddi-fwlch am ddegawdau. Rydym yn dal heb le sefydlog i ymarfer ond yn mwynhau cwmni'n gilydd a chael andros o hwyl yn y fargen. Go brin y byddai neb wedi darogan ar y dechrau y byddem yn dal wrthi ar ôl bron i hanner canrif.

Cyfnod Cystadlu

Roedd terfysgoedd Gogledd Iwerddon yn eu hanterth a bomiau a drylliau'r IRA yn fygythiad parhaol yr ochr yma i'r dŵr, felly pan ffoniodd rhywun yr heddlu yng Nghaerdydd i ddweud bod fan yn cael ei gyrru drwy'r ddinas efo llwyth o ynnau yn y cefn, roedd angen gweithredu ar frys. Anfonwyd fflyd o geir yr heddlu (â'u seirenau'n diasbedain) i gornelu'r fan yng nghyffiniau Gerddi Soffia; gwnaed i'r gyrrwr ddod allan ac archwiliwyd y cerbyd yn drylwyr. Yr hyn welson nhw oedd casgliad o ynnau, heb fwled ar eu cyfyl, yr oedd Cwmni Drama Llwyndyrys wedi cael eu benthyg gan y saethwr brwd Gwyn Jones o Efailnewydd. Ar ein ffordd i Theatr y Sherman yr oedden ni, i berfformio *Y Ddraenen Fach* gan Gwenlyn Parry yn ystod Eisteddfod Genedlaethol 1978 ac wedi llogi fan yng Nghricieth ar gyfer y daith, un efo drws cefn *up and under*. Wrth i'r fan ysgwyd ar yr A470 roedd y drws wedi codi nes ei fod yn hanner agored. Wedi

Y Ddraenen Fach - *a'r gynnau a achosodd stŵr ar strydoedd Caerdydd*

clywed yr eglurhad tawelodd y plismyn a chawson fynd yn ein blaenau.

Y Ddraenen Fach oedd y ddrama gyntaf a ysgrifennodd Gwenlyn Parry; mi ddaeth yn gyd-fuddugol yn Eisteddfod Rhosllannerchrugog yn 1961. Drama ydi hi am bedwar milwr Prydeinig yn cuddio mewn seler yng Ngogledd Affrica ar ddydd Nadolig 1942, efo tro annisgwyl pan ddaw milwr Almaenaidd i mewn i'r seler a chael ei saethu. Cyn mynd i Gaerdydd roedd yn rhaid inni fynd drwy fath o ragbrawf gerbron cynulleidfa ym Mhwllheli, er mwyn i'r beirniad Emily Davies gael penderfynu a oeddem yn deilwng i berfformio yn y Genedlaethol. Yn ogystal â rhoi sêl ei bendith ar y perfformiad mi gynigiodd air bach o gyngor: 'Ma' isie ichi ddysgu ymlacio'n iawn, gorwedd ar lawr yn ysbryd y bechgyn yn y ffosydd,' meddai.

Yng Nghaerdydd roeddem yn cystadlu yn erbyn cwmni o Gaerfyrddin a hyfforddid gan T. James Jones – yr Archdderwydd Jim Parc Nest erbyn heddiw – ac roedd pawb yn grediniol mai nhw fuasai'n ennill. Roedd yr awyrgylch yn y Sherman yn wahanol iawn i'r hyn oedd yn gyfarwydd i ni yn neuaddau pentref Llŷn ac Eifionydd. Cyn mynd yn agos i'r llwyfan roedd yn rhaid rhoi'r manylion i gyd am y gerddoriaeth ac ati, a hynny yn Saesneg. Pan ddaeth yn amser dechrau roedd hi'n '*All systems go!*'. Pwyso botwm a dyma'r goleuadau i gyd ymlaen a'r llenni'n agor mewn chwinciad. Doedd hanner ein criw ni ddim yn barod a'r hen Brei, ymhlith eraill, wedi dychryn am ei fywyd. Ond yn wir mi gawsom hwyl arni ac ar ôl ein gwylio ni a'r cwmni o Gaerfyrddin roedd Emily Davies mewn cyfyng-gyngor. Fedrai hi ddim gwahaniaethu rhwng y ddau ohonom. Roedd cwpan a gwobr ariannol i'r enillwyr a beth wnaeth hi ond dyfarnu'r cwpan i un cwmni a'r arian i'r llall. Ni gafodd y cwpan – Cwpan Gwynfor.

Mi berfformiwyd y ddrama honno gennym mewn sawl

lleoliad yn y gogledd ar ôl yr Eisteddfod a chael derbyniad da ym mhobman. Canhwyllau oedd yn goleuo 'seler' y milwyr ac yn un lleoliad roedd yr hen Brei wedi dal ei wn yn rhy agos at y gannwyll; pan gododd ei wn yn fygythiol roedd y gannwyll yn sownd yn y baril a gwêr yn llifo i bob man.

Ym Motwnnog y cafwyd un o'r perfformiadau mwyaf cofiadwy. Fi oedd yn chwarae rhan y carcharor ac yn mynd i lawr y grisiau i'r seler lle'r oedd y milwyr yn aros amdanaf â'u gynnau'n barod. '*Froue Weihnâcht'n,*' meddwn i yn fy Almaeneg gorau – Nadolig llawen. Roedd hon yn ennyd llawn tyndra wrth i bawb ddyfalu beth fyddai fy nhynged a dyma lais o'r gynulleidfa'n gweiddi dros y lle, 'Dew, yr hen Blas myn diawl!' Gwilym Hirdrefaig gafodd y bai am droi'r olygfa ddwys yn ffars. Roedd ambell un arall, gan gynnwys Dic Goodman, wedi mynd i ysbryd y ddrama ac wedi gwylltio'n gacwn ond dwi'n siŵr y buasai Gwenlyn Parry wrth ei fodd.

Yn ystod ymarferion *Y Ddraenen Fach* mi wahoddwyd Charles Williams atom i'n gwylio ni'n ymarfer a chynnig gair o gyngor, gan ei fod yn digwydd bod yn yr ardal. Mi ddywedodd wrth Alun, un o'r 'milwyr', am dynnu'i helmet ac edrych arni gan hel meddyliau. Dyna'r math o bethau bach ychwanegol yr oedd rhywun o'i brofiad o yn medru'i awgrymu i gwmni amatur. Charles hefyd ddywedodd am Brei, ar ôl ein gweld ni yng Ngŵyl Ddrama'r Foel yn Sir Drefaldwyn, 'Fuaswn i ddim yn fodlon rhoi morthwyl sinc i'r dyn yma, heb sôn am wn!'

Roeddem wedi rhoi cynnig ar y gystadleuaeth ddrama yn y Genedlaethol ddwywaith ar ddechrau'r 1970au, yn gyntaf efo addasiad Huw Davies o nofel T. Rowland Hughes *O Law i Law*, gan ddod yn ail, ac wedyn *Y Trydydd Dydd*. Cawsom lwyfan am y tro cyntaf ar ein tomen ein hunain yn Eisteddfod Bro Dwyfor ym Mhorthmadog yn 1975. *Hiraeth* gan Gwynne D. Evans oedd y ddrama, efo Huw Davies a finnau'n cynhyrchu ar y cyd. Roeddem wedi perfformio'r ddrama nifer o weithiau ymlaen llaw, gan deithio i fannau fel Beddgelert a Llanrwst, yn ogystal â'r neuaddau mwy lleol. Daethom yn gydradd ail yn yr eisteddfod.

Yn Aberteifi yn 1976 – 'Eisteddfod y Llwch' – dyma roi cynnig arall ar *O Law i Law* a dod yn drydydd y tro yma. Cawsom ail yn Wrecsam y flwyddyn wedyn efo *Unawd ar y Gitâr* gan J. R. Evans.

Ar ôl yr antur yng Nghaerdydd yn 1978, pan enillwyd y cwpan ond nid y wobr ariannol, cawsom well lwc yng Nghaernarfon y flwyddyn wedyn. Y tro hwn mi ddyfarnwyd Cwpan Gwynfor a'r arian inni am actio *Tri Chyfaill* gan John Gwilym Jones, drama wedi'i lleoli mewn clwb golff. Roedd hynny'n drobwynt yn hanes y cwmni, nid oherwydd inni ennill ond gan inni fod mor hyf â gofyn am gyngor yr awdur pan oeddem wrthi'n ymarfer.

Er bod 'John Gwil' yn cael ei gydnabod yn un o ddramodwyr Cymraeg mwyaf ei gyfnod, un a gafodd ddylanwad enfawr ar genedlaethau o bobl ifanc drwy ei waith fel darlithydd yn y brifysgol ym Mangor, ni fedrai neb ei gyhuddo o gau ei hun mewn tŵr ifori. Roedd o mor frwd ei gefnogaeth i Gwmni Drama Llwyndyrys ag yr oedd o i gynyrchiadau'r myfyrwyr yn ei waith bob dydd. Drwy astudio *Y Tri Chyfaill* roeddem wedi dod i edmygu ei ddeialog slic hyd yn oed cyn inni ddod i'w adnabod. Yn y cyfnod yma roedd Huw Davies, a fu'n gefn mawr inni am flynyddoedd, wedi symud i fyw yn nes at ei fab yng nghyffiniau Caerdydd ac roedd arnom angen rhywun i roi hwb ychwanegol i ni. Mae'n wir dweud bod John Gwil wedi ein codi ni i lefel hollol newydd. Roeddem yn meddwl ein bod ni'n cael hwyl arni cynt ond mi ddangosodd nad oeddem yn medru goslefu nac amseru fel y dylem ni. Y peth mwyaf a ddysgodd o inni oedd pwysigrwydd geirio'n iawn a phryd i oedi a dal yn ôl. Daeth hynny'n ail natur inni ar ôl

Paratoi i berfformio Tri Chyfaill *yn Eisteddfod Caernarfon. Mae lori wartheg Gwyn Ffridd i'w gweld yn y cefndir. Alun, Gwilym, Dic a finnau*

iddo fo ein rhoi ni ar ben y ffordd. Y canlyniad cyntaf oedd y llwyddiant yn Eisteddfod Caernarfon.

Un ffactor arall yn llwyddiant *Tri Chyfaill* oedd ansawdd y set. Mae'r ddrama wedi ei lleoli mewn cwrs golff ac mi ddenodd y set (o waith Llew) bron gymaint o sylw â'r actio. Yn ôl un adolygydd roedd yn waith mor grefftus fel y byddai rhywun yn taeru ein bod ni mewn clwb golff go iawn. Cafodd hynny ei ategu pan aethom ati wedyn i berfformio yng Ngŵyl Ddrama Caernarfon. Pan agorodd y llenni mi ddechreuodd y gynulleidfa glapio, a hynny cyn i neb agor ei geg, am fod y set yn creu'r fath argraff. Roedd hynny'n glod i waith Llew fel crefftwr a pheintiwr.

Fel pob cwmni drama arall, rydym wedi bod yn ddibynnol iawn ar ein gweithwyr tu ôl i'r llwyfan ac mi gawsom help gan lawer o bobl yr ardal dros y blynyddoedd. Roeddem yn arfer rhoi pwys mawr ar goluro – llwythi o bowdwr a phaent ac ati. O dipyn i beth mi ddaethom i weld nad oedd gwir angen rhyw geriach felly ond mae yna dri yn arbennig o'r cyfranwyr 'anweledig' y byddai hi wedi bod yn anodd iawn gwneud hebddyn nhw. Dyma gyfle i ddweud ychydig am y tri.

Roedd Llew, fel y soniais, yn un o sylfaenwyr y cwmni, fel actor i ddechrau. Ar yr olwg gyntaf gall ymddangos yn ddyn distaw, braidd yn swil. Camargraff fawr ydi hynny. Mae Llew yn ddigri iawn ac yn un da am chwarae i'r galeri. Dwi'n ein cofio ni unwaith yn perfformio'r ddrama *Emyr Caradog* yn Neuadd y Dre, Pwllheli a Nansi Mynydd Mawr ac yntau ar y llwyfan. Dyma Nansi'n rhoi ciw i Llew yn yr act gyntaf ond nid oedd hwnnw i fod i ymddangos tan y drydedd act. 'Wyddoch chi be,' meddai Llew wrthi, 'fedra i wneud diawl o ddim byd efo chi!' Am a wyddai'r gynulleidfa, roedd hyn yn rhan o'r sgript. Wedyn dyma fo'n diflannu i'r ochr ataf i. 'Lle'r ydan ni dŵad?' meddai, a dyma ni'n cael golwg frysiog ar y sgript. Rywsut mi lwyddwyd i ail-danio ac aeth popeth yn ei flaen yn iawn. Mae Llew wedi rhoi'r gorau i actio ers blynyddoedd ond mae ei gyfraniad i'r cwmni yr un mor allweddol.

Un arall o'r gweithwyr 'o'r golwg' y mae ein dyled yn fawr iddo ydi Glyn Owen o Fynytho, ein dyn goleuadau. Mae Glyn yn saer coed a thrydanwr penigamp ond yn ogystal â hynny mae ganddo gefndir ym myd y ddrama. Pan oedd o'n fyfyriwr BSc yn y brifysgol ym Mangor mi ddechreuodd ymhél â goleuo ar gyfer dramâu a chael hyfforddiant yn hanfodion y grefft gan neb llai na John Gwilym Jones. Dyna ichi gyfuniad amheuthun o sgiliau. Daeth Glyn atom yn annisgwyl pan oeddem yn perfformio *Y Ddraenen Fach* ym Motwnnog – y noson pan oedd 'yr hen Blas' yn chwarae rhan y milwr Almaenaidd. Roedd y dyn oedd i fod i oleuo inni y noson honno wedi methu bod yn bresennol. Wyddem ni ar y ddaear beth i'w wneud nes i rywun ddweud fod yna rywun yn y gynulleidfa fyddai'n

Llew mewn sgwrs efo Wiliam 'Eus'

medru gwneud y gwaith. Yn ddirybudd felly y daeth Glyn i'r adwy ac mae o efo ni byth.

Yr olaf o'r triawd anweledig ydi fy hen gyfaill ers dyddiau ysgol, Gwyn Roberts, Ffridd. Drwy hap a damwain – yn llythrennol – y dechreuodd yntau ymhél â'r cwmni. Yn niwedd y 1970au mi dorrodd ei goes mewn damwain ar y ffarm a hynny'n golygu bod yn segur am rai misoedd wedyn. Ond fu yna erioed ddrwg nad oedd yn dda i rywun ac yn ystod y cyfnod hwnnw mi gafodd gynnig dod efo ni ar un o'n teithiau er mwyn cael rhywbeth i fynd â'i feddwl. Mi gafodd gymaint o fwynhad yng nghanol y bwrlwm o chwerthin a thynnu coes nes iddo dderbyn cynnig i fod yn gariwr swyddogol y cwmni unwaith y byddai'r goes wedi gwella. Mi fu wrthi am flynyddoedd yn cario setiau o le i le – yn ei lori wartheg. Chlywais i erioed mohono'n cwyno, er bod golchi a diheintio'r trwmbal bob tro y byddai'r lori yn newid ei phriod waith yn dasg ddigon llafurus i ffarmwr prysur. Cafodd gefnogaeth lwyr ei deulu hefyd ac ni welais i erioed mohono'n hwyr ar gyfer unrhyw gyhoeddiad. Chafodd yr un

Stewart Jones, a'r Tryc y cawsom help gan 'Ifas' i'w brynu

cwmni drama reolwr cludiant mwy dibynadwy.

Erbyn heddiw mae'r lori wartheg wedi ymddeol o'i dyletswyddau theatrig. Yn ei lle fe ddaeth tryc pwrpasol, o stabal Ifor Williams, Cynwyd – diolch i neb llai nag Ifas y Tryc. Roedd Stewart Jones – y 'diweddar' bellach, gwaetha'r modd – yn un o ymddiriedolwyr cronfa a sefydlwyd yn ewyllys hen ffrind bore oes iddo yn Eifionydd, William Park Jones. Swyddog treth incwm oedd William wrth ei waith. Ar ôl iddo farw mi synnwyd pawb o'i gydnabod pan ddeallon nhw ei fod wedi gwneud ei ffortiwn ar y farchnad stoc ac wedi gadael arian i hybu gweithgareddau Cymraeg. Daeth Stewart ataf ac awgrymu y dylai Cwmni Drama Llwyndyrys wneud cais am gyfraniad o'r gronfa. Dyna sut y daeth y tryc i'n meddiant, heb gostio fawr ddim i ni. Y peth lleiaf y gallem ei wneud, o ran parch i 'Ifas' a'i greawdwr Wil Sam, oedd peintio'r enw 'Tryc 1' ar un ochr i'r cerbyd a 'Tryc 2' ar y llall.

Dechrau'r 1980au oedd un o'r cyfnodau prysuraf, a'r mwyaf llwyddiannus o ran gwobrau, yn hanes y cwmni.

Golygfa ddramatig yn Y Tad a'r Mab lle mae'r tad (Alun) yn bygwth Bet, cariad y mab

Roedd John Gwilym Jones erbyn hyn wedi dod yn ffrind inni; byddai'n dod draw yn aml i'n hymarferion gan gynnig cynghorion. Roedd hynny'n un symbyliad inni gystadlu yn y Genedlaethol ar y ddrama hir yn hytrach na'r dramâu byrion yr oeddem ni wedi bod yn eu perfformio tan hynny. Y canlyniad oedd tair gwobr gyntaf rhwng 1980 ac 1983, yn Nyffryn Lliw, Machynlleth a Llangefni. Y dramâu a ddaeth â'r gwobrau oedd *Y Tad a'r Mab* gan John Gwilym Jones ei hun, *Cilwg yn Ôl* sef cyfieithiad John Gwilym Jones o *Look Back in Anger* gan John Osborne, a *Cymru Fydd* gan Saunders Lewis. Roedd pob un o'r tair yn dipyn o gowlad i gwmni amatur ac yn golygu llawer iawn o waith dysgu geiriau. Yn y cyfnod hwnnw hefyd enillodd dau aelod o'r cwmni wobr Actor Gorau'r Ŵyl.

Roedd *Look Back in Anger* yn ddrama eiconig a ysgrifennwyd ar gyfer y theatr yn 1956 ac a roddodd fodolaeth i'r dywediad '*angry young men*' i ddisgrifio John

Eisteddfod Dyffryn Lliw lle'r enillwyd efo Y Tad a'r Mab: *Alun, Gwyneth a finnau - a Dafydd a Carwyn, meibion Alun*

Osborne a'i gyfoedion. Cafodd y prif gymeriad, Jimmy Porter, ei bortreadu ar lwyfan a sgrin gan nifer o actorion enwog gan gynnwys Richard Burton. Mae gen i gof mynd i weld myfyrwyr Bangor yn ei pherfformio yn Gymraeg, efo John Ogwen yn 'Jimmy' effeithiol iawn.

Pan soniwyd wrth John Gwilym Jones bod arnom awydd perfformio'r ddrama mi gawsom bob cefnogaeth ganddo. Gwahoddodd ni draw i'r Groeslon am sgwrs, a dangosodd inni sut y byddai'n mynd ati i gyfieithu dramâu. Roedd yn gwneud hynny ar ei draed, yn sefyll rhwng dau îsl. Ar y chwith iddo byddai'r ddrama Saesneg wreiddiol, ac yntau'n darllen paragraff neu ddau yn uchel, fel petai actor yn gwneud hynny. Wedyn byddai'n troi at yr îsl arall ac yn adrodd ac ysgrifennu'r geiriau Cymraeg fel yr oedden nhw'n dod i'w ben. Doedd o ddim yn gorfod oedi na phendroni o gwbl; roedd ei feddwl mor chwim a chraff.

Ein 'Jimmy Porter' ni oedd Gwilym Williams, peiriannydd Bwrdd Dŵr yn ei waith bob dydd, ac mi roddodd bortread gwirioneddol dda o'r cymeriad gwrthryfelgar. Yn y ddrama honno y cafodd Christine Williams brif wobr yr Eisteddfod am actio rhan Helena, ffrind i'w wraig na wnaeth fawr o les i'r briodas. Roedd Christine yn weddol newydd i'r cwmni yr adeg honno ac yn actores dalentog a naturiol. Yn wahanol i'r rhan fwyaf o'n haelodau, a ddaeth atom heb lawer o brofiad actio, roedd Christine wedi meithrin ei chrefft yn rhai o gynhyrchion y Parch. Huw Pierce Jones ym Mhwllheli. Roedd wedi treulio cyfnod mewn coleg yn Llundain yn dysgu trin blodau, i'w pharatoi ar gyfer rhedeg busnes ei theulu ym Mhwllheli, ond roedd actio yn agos at ei chalon ac mi fu ar un adeg yn ystyried gyrfa broffesiynol yn y maes.

Roedd *Cilwg yn Ôl* yn anferth o faich ac o waith dysgu i gwmni amatur. Roedd hi'n para am deirawr yn un peth, a oedd yn brofiad newydd i ni ac i'n cynulleidfaoedd traddodiadol. Roeddem yn rhoi'r perfformiadau cyntaf o'n dramâu i gyd yn Aberdaron, er mwyn cael syniad beth oedd yn gweithio efo'r gynulleidfa a beth oedd angen ei newid. Roedd gan y ddrama hon dair act, a nifer o doriadau eraill rhwng golygfeydd. Yn ystod un o'r toriadau mi ddaeth rhywun o'r gynulleidfa i sbecian drwy'r cyrtans a gofyn, 'Ydach chi wedi gorffan rŵan?' Doedden nhw ddim wedi arfer efo pethau mor hir â hyn yng nghefn gwlad! Wrth fynd â'r ddrama o gwmpas y wlad wedyn byddem yn tocio rhywfaint arni, ond pan oeddem yn cystadlu wrth gwrs roedd yn rhaid ei pherfformio hi yn ei chyfanrwydd.

Mi fu John Gwilym yn gefn inni efo *Cymru Fydd* Saunders Lewis hefyd, drama arall yr oedd o wedi'i gwneud efo'i fyfyrwyr ym Mangor. Mae hi'n ddwyawr a hanner o ddrama gyfoes y bu llawer o drafod a dadansoddi arni dros y blynyddoedd, a hon yn sicr oedd y ddrama anoddaf inni ei gwneud erioed. Mae'n werth cofnodi aelodau'r cast a fu'n ddigon gwrol i dderbyn yr her: Nansi Roberts, Christine Williams, Alun Williams, Richard Parry Hughes a Brian Davies.

Un symbyliad dros gystadlu ydi cael beirniadaeth adeiladol, ac mi gafwyd enghraifft glasurol o hynny efo'r ddrama yma. Edwin Williams oedd y beirniad ac mae copi o'i feirniadaeth pum

Cast Cilwg yn Ôl, *efo cwpan y Ddrama Fer a'r Ddrama Hir*

Christine Williams *(uchod) a enillodd wobr Prif Actor Eisteddfod Genedlaethol Machynlleth yn 1981 am ei pherfformiad yn* Cilwg yn Ôl, *ac Alun Williams (isod) a enillodd yr un wobr yn Llangefni ddwy flynedd yn ddiweddarach am ei ran yn* Cymru Fydd.

● Ar y dde, actor gorau'r Eisteddfod, Alun Williams o'r Ffôr, Pwllheli, a gydag ef Gwilym Griffiths o Gwmni Llwyndyrys gyda'r cwpan a enillodd y cwmni yn y gystadleuaeth actio drama hir.

tudalen o'r rhagbrawf o fy mlaen ar hyn o bryd. Mae hi'n eithriadol o fanwl a thrylwyr ac yn awgrymu gwelliannau i'r set, y goleuo, y gwisgoedd a'r effeithiau sŵn yn ogystal â'r actio. Wrth grynhoi mae'n nodi fod 'Tîm da o actorion yn cyd-chwarae'n hwylus. Roedd yr arddull a fabwysiadwyd yn agos iawn at yr arddull briodol i chwarae drama naturiolaidd fel hon – o ran ymarweddu a llefaru'.

Mae'n hael ei ganmoliaeth i berfformiad Alun fel y gweinidog sydd â pherthynas gymhleth efo'i fab Dewi, a gefnodd ar Gymru a Christnogaeth: 'Yn argyhoeddi fel gweinidog cywir, naturiol; yn cyfleu yn gynnil effaith y groes y mae'n ei chario. Llais da, llefaru rhwydd, lliwio da. Y gallu i greu angerdd yn dawel ...' Ar ôl darllen y sylwadau hynny doedd hi'n fawr o syndod i Alun ennill gwobr actor gorau'r Eisteddfod yn 1983 – fel y gwnaeth Christine ddwy flynedd ynghynt.

NEUADD YR EGLWYS, PWLLHELI

Cwmni Drama Llwyndyrys

yn perfformio

Cymru Fydd
(Saunders Lewis)

Nos Fercher a Nos Iau Mai 18 a Mai 19

Drysau'n agored am 7.00
Dechrau am 7.30

Tocyn Nos Fercher £1

Diddanwch

'Gad hi'n fan'na boi bach! Ti wedi'i brofi fo unwaith!' John Gwilym Jones oedd yn siarad, ar ôl inni ennill y wobr gyntaf ar y ddrama hir yn Llangefni. Roeddem yn ddigon parod i dderbyn ei gyngor. Yn sicr roeddem wedi codi ein safonau drwy gystadlu a chael beirniadaeth ac roedd hynny'n ysgogiad i feithrin mwy o ymdrech a disgyblaeth nag a fyddai'n bodoli fel arall. A rhaid cyfaddef bod yna dipyn o foddhad mewn ennill ar y llwyfan cenedlaethol a rhoi enw Llwyndyrys ar y map!

Ond roedd o hefyd wedi bod yn straen ar adegau. Dydi drama ddim yr un fath â chôr: mae'n rhaid i bawb fod yn yr ymarferion, neu o leia pawb sydd yn y darn arbennig hwnnw. Roedd hyn yn golygu ffônio pawb yn gyson i'w hatgoffa nhw: 'Cofia heno, ymarfer saith o'r gloch.' Os na fyddai un yn mynychu byddai hynny'n drysu'r cwbl. Ond ni chawsom erioed broblem; roedden nhw i gyd yn wirioneddol gydwybodol.

Dydi ein trefn ar gyfer ymarfer dramâu ddim wedi newid llawer hyd heddiw. Ar ôl i mi gael y ddrama yn fy llaw i'w hastudio mi fyddwn ni'n dechrau arni mewn hen lofft stabal ym Minafon, reit wrth ymyl capel Llwyndyrys. Wedyn mi fyddwn yn symud i festri'r Annibynwyr yn y Ffôr – lle oer ar y cythral yn y gaeaf ond mi gawn lonydd yno; mae digon o le i osod set a does neb arall yno ond y ni. Y gwendid ydi nad oes yno lwyfan. Ond erbyn inni orffen ymarfer yn y festri mi fydd y ddrama'n barod i'w pherfformio.

Ar ôl y blynyddoedd o gystadlu roedd hi'n braf cael ymlacio rhywfaint a pherfformio er mwyn diddanwch – i ni ac i'n cynulleidfa – heb boeni am fodloni chwaeth na mympwy unrhyw feirniad. Mae rhai dramâu a wnaethom yn

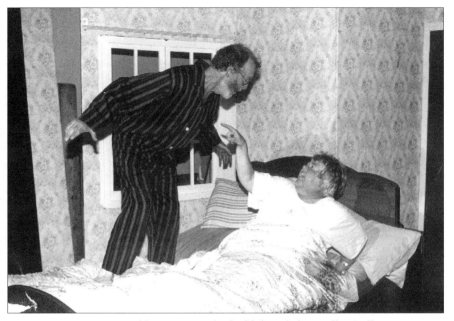

Brian a Kathleen yn un o olygfeydd doniolaf O Lofft i Lofft

y cyfnod hwnnw yn aros yn glir yn y cof, weithiau am inni gael blas ar eu perfformio, dro arall oherwydd rhyw antur neu dro trwstan wrth fynd â nhw ar daith.

Roeddem yn dal i gael gwahoddiad o dro i dro i berfformio yn yr Eisteddfod Genedlaethol. Cyn i'r brifwyl ddod i Borthmadog yn 1987 roeddem wedi bod yn dysgu'r ddrama *O Lofft i Lofft*, cyfieithiad Eleri Huws, un o'n pobl ni yn Llwyndyrys, o *Bedroom Farce* gan Alan Ayckbourn. Y gobaith oedd y byddem yn cael ei pherfformio ym Mhorthmadog yn ystod yr eisteddfod ond am ryw reswm doedd y pwyllgor drama lleol ddim yn meddwl y byddai hon yn ddrama addas i eisteddfodwyr, ac ni ddaeth y gwahoddiad. Yn hytrach na gwastraffu'r holl ymdrech a wnaed i gyfieithu a dysgu'r ddrama, dyma benderfynu y buasem yn ei pherfformio ar ein liwt ein hunain yn Neuadd

Cast cyfan O Lofft i Lofft

y Dref, Pwllheli yn ystod wythnos yr eisteddfod. Roedd hyn i'w weld yn dipyn o fenter, ond mi weithiodd yn iawn ac mi gawsom neuadd orlawn.

Mi berfformiwyd *O Lofft i Lofft* mewn wyth ar hugain o leoliadau i gyd. Mae'r ddrama'n digwydd mewn tair llofft ochr-yn-ochr ar y llwyfan ac yn ymwneud â phedwar cwpl o wahanol oedrannau. Roeddem wedi ei gwneud hi gymaint o weithiau nes bod y criw wedi cael digon o hyder i dynnu coes ei gilydd ar y llwyfan. Roedd cymeriad Alun yn ei wely ac yn cael trafferth efo'i gefn. Un noson roedd Brian ac un neu ddau arall wedi rhoi tatws a marblis yng ngwely Alun ac yntau'n gorfod gorwedd arnyn nhw; doedd dim rhaid iddo actio bod yn anghyfforddus bryd hynny! Roedd gwely Brian yr ochr arall i'r llwyfan, efo llofft arall yn y canol a'r golau'n symud o ystafell i ystafell yn ôl y galw. Beth wnaeth Alun, pan oedd Brian ac yntau yn y tywyllwch, ond lluchio'r tatws dros ben y golau a oedd yn taro ar y llofft ganol fel eu bod nhw'n glanio ar ben Brian yn ei wely. Roedd yntau'n cael trafferth aros yn dawel ac fe glywyd ambell 'wps' bach bob hyn wrth i daten lanio yng nghyffiniau ei drwyn. A dweud y gwir roeddem ar fai braidd, a chymaint o bobl wedi talu i ddod i'n gweld ni, ond dwi ddim yn meddwl bod neb wedi sylwi rhyw lawer.

Yn y ddrama hon y gwelwyd digrifwch Brian ar ei orau: roedd o'n gweddu i'r dim i'w gymeriad. Dim ond siarad yn naturiol oedd angen iddo'i wneud ac roedd y gynulleidfa yn eu dyblau. Bu Nansi, ac yna Kathleen, yn chwarae rhan ei wraig yn y gwahanol berfformiadau. Yn un lle mae'r wraig awydd cael sardîns i fwyta. 'Wel mi af i lawr, cariad, i nôl sardîns i chi,' medda fynta, ac i ffwrdd â fo i lawr y grisiau yn ei byjamas. Wedyn mae'n dod yn ei ôl ac yn dweud, 'Does 'na ddim sardîns. Wneith *pilchards*?' Does 'na ddim jôc o gwbl yn y llinell, ond oherwydd y ffordd roedd Brei yn ei deud hi, roedd yr ymateb yn wych.

Pan fydd aelodau'r cwmni yn hel atgofion am droeon trwstan, mae enw Brian yn siŵr o gael ei grybwyll yn amlach na'r un. Roedd pobl byth a beunydd yn chwarae triciau arno ac yntau'n fwy na pharod i daro'n ôl. Yn Theatr Ardudwy, Harlech unwaith roeddem yn barod i ddechrau ar yr act gyntaf; finnau wedi cael gair efo Glyn y goleuwr a'r gerddoriaeth yn codi. Gwaith Brian oedd troi'r handlen fawr oedd yn gwneud i'r llenni agor – ond doedd dim byd yn digwydd. 'Wel agor nhw Brei!' meddwn i. 'Fedra i ddim,' atebodd, 'Dwi'n sownd!' Roedd rhywun wedi rhoi gliw ar yr handlan!

Yn Ysbyty Ifan unwaith roeddem yn cael bwyd ar ddiwedd y perfformiad. Roedd hi'n gyfnod y Nadolig a mins peis wedi eu paratoi ar ein cyfer. Roedd un o'r criw wedi cael gafael ar un o'r rhain, tynnu'r minsmît ohoni a rhoi mwstard yn ei le. Ar blât Brian, wrth gwrs, y landiodd y fîns pei honno ond roedd o'n ormod o ŵr bonheddig i boeri'r mwstard o'i

THEATR ARDUDWY, HARLECH
CWMNI DRAMA LLWYNDYRYS

yn perfformio

TEWACH DŴR

gan

William Owen

Nos Sadwrn
Hydref 6ed 1984
am 7.30 o'r gloch

Tocynnau ar gael yn:
Theatr Ardudwy
Ffôn: Harlech 780667

Y Cwmni

Ffurfiwyd cwmni drama Llwyndyrys ugain mlynedd yn ôl ac oddi ar hynny maent wedi ennill y wobr gyntaf yn y Genedlaethol chwe gwaith yn olynol. Eleni gwahoddwyd hwy gan Bwyllgor Drama Eisteddfod Llanbed i roi dau berfformiad wythnos yr eisteddfod. Dewiswyd y ddrama 'Tewach Dŵr' gan William Owen, Borth-y-gest.

Y Ddrama

'Tewach Dŵr yw'r ddrama a enillodd y Fedal Ddrama yn Eisteddfod Genedlaethol Llangefni, 1983. Merch anghyfreithlon a gafodd ei mabwysiadu sydd yma, ac mae'n dymuno cyfarfod â'i gwir fam, ond mae honno bellach wedi priodi, a chanddi un mab. Ni ŵyr ei gŵr am fodolaeth y ferch. Drama i'r teulu cyfan yw hon, drama llawn hiwmor yn ogystal â theimladau dyfnion.

geg. Doedd dim amdani ond ei bwyta'n dawel heb wneud stumiau.

Roedd dramâu William Owen, Borth-y-gest ymhlith y rhai mwyaf poblogaidd inni eu gwneud, gan ddechrau efo *Tewach Dŵr*. Mi enillodd honno'r Fedal Ddrama i'r dramodydd yn Eisteddfod Genedlaethol Llangefni yn 1983 a chafodd ei chanmol gan y beirniaid am ei 'symlrwydd sydd eto'n gynhyrfus'. Gofynnodd pwyllgor drama Llanbedr Pont Steffan i ni ei pherfformio yn ystod yr eisteddfod yno'r flwyddyn wedyn, ac roeddem yn falch o gael gwneud hynny. Mae hi'n ddrama gref am ferch oedd wedi cael ei mabwysiadu yn dod i chwilio am ei mam waed ac yn creu cynnwrf anfwriadol yn nheulu arall y fam. Alun a Christine oedd yn chwarae rhan y tad a'r fam, a Kit, Ffarm Llwyndyrus, oedd y ferch. Un o Geredigion ydi Kit yn wreiddiol ac roedd ei hacen led-ddeheuol yn gweddu i'r dim i'w chymeriad. Cafwyd perfformiadau gwych hefyd gan Gwilym Williams fel y mab, Margo Williams fel gweithiwr cymdeithasol a Richard Hughes fel myfyriwr. Roedd colofnydd y *Cambrian News* yn gresynu fod 'rheolau caeth Equity' yn cadw'r actorion oddi ar S4C, gan ychwanegu: 'Roedd perfformiad Alun a Christine yn llawer iawn gwell na'r hyn a geir gan rai actorion proffesiynol ar S4C y dyddiau hyn.'

Mae *Gwenwyn Dau Wanwyn*, un arall o ddramâu William Owen, yn sôn am ŵr yn cyfarfod hen gariad iddo mewn cartref henoed ac yntau wedi gwneud tro gwael â hi pan oedden nhw'n ifanc. Dyna'r ddau wanwyn – un pan oedd y ddau yn ifanc a'r llall ar ôl mynd yn hen. Mi berfformiwyd hon yn y Groeslon, a John Gwilym yn y gynulleidfa. Roedd hynny'n rhoi pwysau ychwanegol arnom i fod ar ein gorau. Ond pan oedd yr hen ŵr musgrell – sef Alun – yn rhoi esgidiau hoelion mawr am ei draed ac yn cael trafferth efo'r careiau, mi deimlodd grensian a gwlybaniaeth dan ei draed. Brian (pwy arall!) oedd wedi cael gafael ar dri neu bedwar o wyau meddal a'u rhoi yn y ddwy esgid. Oni bai fod John Gwilym yn bresennol mae'n bosib y byddai Brei wedi teimlo'r slwj yn ei wyneb, ond dan yr amgylchiadau doedd dim i'w wneud ond dal ati fel pe na bai dim o'i le.

Pan oeddem yn chwilio am ddrama newydd un tro, mi ffôniais i William Owen a gofyn tybed a oedd ganddo fo rywbeth addas. 'Na, does gin i ddim un â gafael ynddi,' meddai i ddechrau, ond ar ôl meddwl dyma fo'n dweud, 'Mae 'na un, ond dwi ddim yn meddwl llawer o'r hen beth; rhyw doriad ydi hi rhwng drama fer a drama hir.' Mi ddangosodd gopi i mi a dyna un o'r dramâu digrifaf a

Perfformio Crafu Ceiniog *yn y Bala. Gwyn Wheldon, a ddaeth
atom ar y fyr rybudd, yw'r ail o'r chwith yn y cefn*

wnaethom erioed. Ei henw yw *Crafu Ceiniog* ac mae hi'n
ddrama hollol Gymreig. Y loteri ydi'r canolbwynt, a gwraig
y blaenor yn ennill pymtheng mil o bunnau ar ôl i'w gŵr fod
yn taranu yn erbyn y loteri yn y Cyfarfod Misol. Mae'r
blaenor yn cael cyngor gan y gweinidog i ddefnyddio'r pres
i adnewyddu'r capel – 'defnyddio arian y diafol i weithio yn
erbyn y diafol'; ond chododd y broblem ddim yn y diwedd
gan fod y ticed loteri ym mhoced crys y blaenor ac wedi cael
ei olchi gan ei wraig. Un o'r pethau cofiadwy oedd
perfformiad Richard Parry fel y gweinidog ac mi ddaeth Dic
Gwindy, fel y caiff ei adnabod, yn un o'n hactorion gorau,
gan ddisgleirio hefyd yn rhai o ddramâu ei dad-yng-
nghyfraith, Wil Sam.

Mi wnaethom *Crafu Ceiniog* yn Eisteddfod
Genedlaethol y Bala, fel perfformiad noson yn Theatr Fach
y Maes. Ryw dair wythnos cyn yr eisteddfod mi aeth Alun, a
oedd i fod i actio'r brif ran, yn sâl. Doedd dim gobaith iddo
wella'n ddigon buan i fod yn y ddrama. Dyma fi'n ffônio

George Owen, swyddog drama'r Eisteddfod Genedlaethol, a dweud wrtho fod y prif actor yn wael ac yn methu'i gwneud hi. 'Mi fydd rhaid inni ei chael hi,' meddai. 'Tria gael actor proffesiynol os bydd raid.' Dyma ni'n gofyn i bobl adnabyddus fel John Ogwen a Grey Evans ond wrth gwrs, roedd ganddyn nhw i gyd alwadau eraill adeg yr eisteddfod. Ac wedyn mi feddyliais am Gwyn Wheldon a oedd yn actor profiadol iawn ond nid yn broffesiynol. Dim ond tair wythnos a gafodd Gwyn i ddysgu'r rhan – ac roedd ganddo rhyw gwrs yng Ngholeg Harlech yn ystod y cyfnod hwnnw hefyd – ond mi lwyddodd a gwneud ei waith yn feistrolgar.

Mi ddigwyddodd un o'r golygfeydd mwyaf cofiadwy yn ein holl ddramâu ni yn Neuadd Dwyfor, Pwllheli mewn drama a ysgrifennwyd yn arbennig ar ein cyfer ni gan un o feibion y dref, Iwan Edgar. Ffars bur oedd *Tua'r Terfyn* a berfformiwyd yn ystod Gŵyl Cynan yn 1995. Brian eto oedd y seren – yn chwarae rhan yr Archangel Gabriel. Roedd Iwan wedi gosod rhyw hen bregethwr yn farw, neu'n hanner marw o leiaf, ar y llwyfan. Wedyn roedd Gabriel yn dod i lawr i'r ddaear ato fo – i lawr ystol bron yn anweledig o'r galeri. Pan wnaethom gais i wneud rhywbeth tebyg mewn cynhyrchiad diweddarach mi wrthodwyd caniatâd gan reolwyr y neuadd oherwydd y rheolau iechyd a diogelwch, ac mae rhywun yn deall pam. Gwnaeth 'Gabriel' ymddangosiad arall i lawr yr ystol yn ystod y *curtain call* a dwi ddim yn credu imi erioed chwerthin cymaint.

Awdur arall y buom yn cydweithio'n agos efo fo oedd Harri Parri. Profiad i'w gofio oedd cynhyrchu'r pasiant *Cannwyll yn Olau*, portread llwyfan o fywyd Puleston Jones, y gweinidog dall. Roedd mwy na dau gant yn y cast, o ardal yn ymestyn o Aberdaron i Borthmadog, ac mi ddaeth dros ddwy fil o bobl i weld y perfformiadau ym Mhwllheli a Chaernarfon. Nan Elis oedd yn gyfrifol am y tri chôr, a finnau am yr actorion. Roedd angen pedwar actor i

Tua'r Terfyn. *Brian ydi'r angel yn ei wisg wen.*

bortreadu Puleston yng ngwahanol gyfnodau ei fywyd: Iorwerth Llewelyn Willams (plentyn bach), Gwern ap Rhisiart (plentyn hŷn), Dewi R. Jones (ifanc) ac Alun Williams (canol oed a hŷn).

Wrth baratoi ar gyfer y pasiant, roedd Harri wedi mynd ag Alun i gyfarfod Arthur Rowlands, y plismon a gollodd ei olwg ar ôl cael ei saethu ar Bont ar Ddyfi ger Machynlleth. Roedd Arthur yn barod iawn i ddangos sut y byddai rhywun dall yn symud ac yn ymddwyn ac mi gyfrannodd hynny lawer at y perfformiad. Roedd hi'n fantais hefyd fod Alun yn debyg iawn i Puleston o ran pryd a gwedd, yn ôl yr hen luniau ohono. Roedd Puleston yn heddychwr mawr ac yn gwrthwynebu pob rhyfel, gan ennyn cynddaredd rhai o bobl Pwllheli lle'r oedd o'n weinidog – sefyllfa nid annhebyg i helynt yr ysgol fomio yn yr ardal flynyddoedd yn ddiweddarach.

Roedd *Yr Etholedig Arglwyddes* yn gynhyrchiad

Cast Yr Etholedig Arglwyddes

uchelgeisiol, yn debyg o ran arddull i'r pasiantau y byddai Harri'n eu cynhyrchu'n flynyddol yng Nghapel Seilo, Caernarfon. Ceir un ar bymtheg o wahanol sefyllfaoedd yn yr ail act a'r goleuadau'n symud o un lleoliad i'r llall. Hanes Catherine Edwards, Plas Nanhoron yw'r ddrama ac yn ystod y paratoadau mi aethom ar ymweliad â'r plas a gweld llun y foneddiges ar y wal.

Ar ddiwedd y ddrama roeddwn i'n gorfod traddodi rhan o bregeth y Parchedig Joseph Jenkins. Fydda i ddim yn rhy nerfus ar y llwyfan fel arfer, ond y tro hwn roeddwn i'n sefyll yno'n hir dan y goleuadau ac yn meddwl, 'Be ar y ddaear dwi'n ei wneud fan hyn yn poeni am gofio fy llinellau; mi fasa'n well imi fod yn ista fan'cw yn y gynulleidfa.' Ond unwaith roedd rhywun wedi'i chychwyn hi mi âi popeth yn iawn.

Roedd pasiant arall gan Harri, *O'r Lôn Fudur at Foanerges*, yn ymwneud â Daniel Rowlands a'r Diwygiad

97

Methodistaidd. Roedd gan Harri bedwar neu bump o actorion yn Seilo, Caernarfon ac mi fyddai'n dod â'r rheiny atom a gofyn i ninnau lenwi gweddill y rhannau. Mi berfformiwyd honno ym Mhwllheli, Theatr Gwynedd ym Mangor, yng Nghapel Seilo ac ym Mhafiliwn Corwen. Dechreuodd pobl gwyno ein bod ni'n gwagio capeli bach Pen Llŷn am mai ar nos Sul y byddai'r pasiant yn cael ei gynnal. Roedd Alun yn actio Daniel Rowlands yn afaelgar ac ar ddiwedd un o'r perfformiadau yn Neuadd y Dref, Pwllheli mi gafwyd golygfa annisgwyl ar y diwedd. Roedd Alun, fel Daniel Rowlands, ar ei liniau ar flaen y llwyfan yn cynnal cymun. Mi ysgydwyd y gynulleidfa gymaint nes i rai, gan gynnwys yr hen Jones Bon Marche, fynd ymlaen i dderbyn cymun, er nad oedd hynny yn y sgript o gwbl. Roedd o wedi cael ei gyffwrdd gymaint gan yr awyrgylch.

Wrth sôn am ein hoff ddramodwyr ac awduron, mae'n rhaid rhoi lle anrhydeddus i William Samuel Jones. Roedd ein cysylltiad ni â Wil Sam yn mynd yn ôl i ddyddiau cynnar y cwmni drama pan wnaethom *Tŷ Clyd*. Yn fuan iawn wedyn mi ddaeth *Mae Rhywbeth Bach*, *Y Dyn Codi Pwysau* a *Pa John?* Roedd *Pa John* wedi'i hysgrifennu ar ein cyfer ni. Mae hi'n sôn am hen ddyn yn hysbysebu am forwyn, a honno'n cyrraedd ond yn drysu'r planiau drwy wirioni ar John y mab yn hytrach na John y tad. Doedd y ddrama ddim yn ddigon hir i gynnal noson gyfan, felly mi ysgrifennodd Wil act ychwanegol i ni yn ddiweddarach ac mae honno'n dal gen i yn ei lawysgrifen o.

Mi berfformiodd y cwmni bob un o ddramâu byrion Wil heblaw un. Pleser bob amser fyddai gweld y dramodydd ei hun yn y gynulleidfa, yn chwerthin nes ei fod o'n siglo, fel tasai o'n clywed y llinellau ffraeth am y tro cyntaf.

Roeddem wedi bwriadu mynd â dwy o ddramâu Wil ar y daith i Batagonia y soniwyd amdani eisoes, sef *Y Wraig* a *Dalar Deg*. Brian oedd i fod i chwarae'r brif ran yn *Y Wraig*

O'r Lôn Fudr at Foanerges, *pasiant gan Harri Parri, a ninnau'n perfformio ar y cyd gyda chriw Pencaenewydd*

Cwmni Drama
Llwyndyrys
YN CYFLWYNO

'*Dalar Deg*'

gan

Wil Sam Jones

TAITH Y WLADFA - HYDREF 2004

Rhaglen taith Cwmni Llwyndyrys i Batagonia

ond ar ôl iddo fo fynd yn wael doedd dim modd inni wneud y ddrama honno. Felly *Dalar Deg* yn unig oedd yr arlwy i bobl y Wladfa. Mae hi'n un o ddramâu mwyaf poblogaidd Wil Sam ac yn un o'i rai cynharaf. Mi enillodd arni yng nghystadleuaeth y ddrama fer yn Eisteddfod Genedlaethol Llanelli yn 1962, efo Stewart Jones yn un o'r actorion.

Roedd rhai pobl wedi ein rhybuddio i beidio â disgwyl gormod gan gynulleidfaoedd Patagonia. Yr ofn oedd na fydden nhw'n deall y dafodiaith ac idiomau Wil Sam. Roeddem yn ofni'r gwaetha ond doedd dim angen poeni o gwbl. Mae digrifwch sefyllfa'r *Dalar Deg* a'r berthynas rhwng y ffarmwr, yr howsgipar a'r ymwelydd amheus Davies yr Wyau yn taro tant ar unrhyw gyfandir. Mi wnaethom, serch hynny, newid ychydig ar y geiriau. Cafodd y ffaith inni roi enw Sbaeneg ar y forwyn, neu'r howsgipar, ei werthfawrogi'n fawr ac mi gododd y gynulleidfa ar ei thraed i gymeradwyo hynny yn ein perfformiad cyntaf yn y Gaiman! Yno, ym mhentref mwyaf Cymraeg y Wladfa, roeddem yn perfformio'r ddrama mewn festri fawr heb fod yn annhebyg i un Garndolbenmaen. Roedd y gynulleidfa mewn dau le, efo llenni yn yr ochr a'r tu blaen, a dau neu dri o lanciau cyhyrog yn agor a chau'r llenni efo llaw, yn union fel y byddem ninnau'n ei wneud ers talwm. Roedd y cwbl yn gartrefol braf. Er na wyddem ni hynny ar y dechrau, roedd yn fantais hefyd bod merch o'n hardal ni, Esyllt Nest o'r Ffôr, wedi bod yn astudio'r ddrama efo dosbarthiadau o siaradwyr Cymraeg yn y Gaiman a Dolavon a bu hynny'n gymorth mawr iddyn nhw ei deall yn well a'i gwerthfawrogi cyn y perfformiad.

Pe baem wedi cael dewis o blith holl actorion Cymru, ni fyddem wedi cael neb gwell na Richard Parry a Catrin Dafydd i chwarae rhan y meistr a'r howsgipar. Roedd Alun unwaith eto yn ei elfen fel Davies yr Wyau a Nia, fy merch, oedd Olwen. Mi gawsom aelod newydd at y criw, Iwan

Pennant o Gwm Pennant, i chwarae rhan y gwas. Mae hi'n wych o beth fod cenhedlaeth newydd yn codi o hyd i sicrhau parhad y cwmni. Doedd actorion fel Peredur a Mari Emlyn, un arall o'r to ifanc, ddim yn cael cyfle i actio am nad oeddem yn perfformio *Y Wraig*, ond roedd hi'n dda cael eu cwmni ar y daith ac mi wnaeth Peredur waith gwych yn arwain y gwahanol nosweithiau.

Ar ôl treulio amser yn y Gaiman a Threlew mi aethom ar draws y paith i Esquel wrth droed yr Andes, bron i bedwar can milltir o daith, rhai mewn bws ac eraill mewn bws mini. Un broblem efo'r cynhyrchiad, fel yr oeddem wedi ei ragweld cyn cychwyn, oedd ei bod hi'n amhosib mynd â fawr o ddim cyfarpar heblaw ein gwisgoedd efo ni. Roedd rhaid inni holi'r trigolion lleol er mwyn trio cael gafael ar bopeth arall a doedd dim yn ormod o drafferth ganddyn nhw. Mi ddaeth un wraig â chadair fawr inni, a dweud bod ei nain neu ei hen nain wedi ei chludo yno ar y *Mimosa* o'r Hen Wlad yn 1865. Doedd hi ddim yn gadair wellt ac eto ddim yn bren i gyd. Doedd Kathleen, yr howsgipar, ddim yn ysgafn o gorff ac roedd peryg iddi fynd drwy'r gadair, felly bu rhaid inni wrthod y cynnig hael hwnnw. Ond aeth Rini Griffith de Knobel, gwraig sy'n cadw ymwelwyr ar ei thŷ ffarm yn y mynyddoedd, â ni o gwmpas am brynhawn cyfan yn hel dodrefn. Gyda'r nos mi gawsom yr un gwasanaeth gan ferch ifanc bengoch a oedd hefyd yn siarad Cymraeg gystal â ninnau; wedyn mi gawsom ar ddeall fod Christine Jones yn un o farnwyr uchaf y dalaith. Yn y Gaiman roedd Monica Jones, gwraig o'r Wladfa a fu'n byw am gyfnod yn Nyffryn Conwy, wedi gofalu ymlaen llaw fod popeth angenrheidiol yn aros amdanom pan oeddem yn cyrraedd yno.

Roeddem yn perfformio am ddim, er mwyn codi arian at ysgolion Cymraeg lleol ond mi fyddem wedi cael yr un croeso rhyfeddol pe baem heb wneud hynny. Dyna brofiad pawb sy'n ymweld â chymunedau cynnes y Wladfa.

Cawsom gyfle i fynychu gweithgareddau heblaw'r dramâu, gan gynnwys Eisteddfod y Wladfa, y gymanfa a'r sesiynau anffurfiol yn y *Dafarn Las,* lle'r oedd pawb yn awyddus i droi allan i'n cyfarfod.

Er mai pobl ein milltir sgwâr ydym ni yn Llwyndyrys, mi ddangosodd y daith honno fod hiwmor Cymraeg diffuant yn cael ei werthfawrogi gan eneidiau hoff cytûn ar draws y cyfandiroedd.

Y cyfarfod cyntaf i drefnu'r daith i'r Wladfa – a Brian Davies ar y chwith yn y rhes flaen

Gwil yr Wy

Er mor ddifyr ydi byd y ddrama amatur, dydi o fawr o help pan ddaw hi'n fater o gynnal teulu a chadw'r blaidd o'r drws. Roedd yn rhaid, felly, cadw rhywfaint o gydbwysedd rhwng mwyniant oriau hamdden a galwadau teuluol. Hyd yn oed pan ddechreuais i ffarmio efo Yncl Wmffri adra yn Plas, roedd hi'n amlwg nad oedd neb am wneud bywoliaeth fras allan o'r hanner can acer hwnnw, a oedd yn cynnwys mawndir digon diffaith. Rywbryd tua'r adeg pan briododd Jean a finnau yn nechrau'r 1960au, roeddwn i'n dechrau meddwl am syniadau newydd i wneud i'r lle dalu ac er bod hyn rai blynyddoedd cyn imi actio rhan Defis yr Wyau yn *Dalar Deg*, rhyw arallgyfeirio i fyd y da pluog oedd fy hanes innau. Mi ddechreuodd hynny ar raddfa fechan iawn, efo un

Yn y stordy wyau yn Plas

Llwytho'r fan

cwt ieir yn y cefn. Rhywbeth ychwanegol at y ffarmio oedd o i ddechrau, ond mi dyfodd yn fusnes mawr ynddo'i hun. Aeth y dwsinau yn filoedd. Pwy feddyliai yr adeg honno y byddwn i'n dal i gario wyau o gwmpas y wlad hanner canrif a mwy yn ddiweddarach!

Ar y dechrau roeddem yn cynhyrchu'r wyau i gyd ein hunain ar y ffarm ac yn eu dosbarthu nhw i bob rhan o Lŷn ac Eifionydd. Yr anhawster efo hynny oedd y gwahaniaeth anferth yn·y farchnad o dymor i dymor. Pe tasem yn cadw digon o ieir i gyflenwi'r farchnad haf, fyddai dim modd cael gwared â'r wyau yn y gaeaf ac ni fyddai'r nifer a fyddai'n diwallu'r farchnad gaeaf chwarter digon i ateb y galw yn ystod y tymor fisitors. Ar ôl i Dyfed, y mab, ddod adra i helpu ar y ffarm mi aeth y fuches laeth yn fwy, nes bod y llaeth a'r wyau yn milwrio yn erbyn ei gilydd. Roedd hi'n anodd ar y coblyn dod i ben â hel a didoli'r wyau a'u pacio nhw, a'r buchod eisiau eu godro ddwywaith y dydd.

Er mwyn hwyluso pethau mi benderfynwyd prynu'r

wyau i mewn ar gyfer eu pacio a'u dosbarthu yn hytrach na'u cynhyrchu nhw ein hunain, a dyna sy'n digwydd ers blynyddoedd bellach ac ers hynny mae'r ffarm a'r wyau yn fusnesau ar wahân. Dyfed a'i deulu sy'n ffarmio ym Mhlas Newydd a Jean a finnau wedi symud i Plas Isaf heb fod ymhell. Dydi 'plasau' Llwyndyrys, gyda llaw, ddim yn blastai fel rhai'r byddigion, dim ond tai ffarm arferol!

Er fy mod i'n dal i weithio pan allwn i fod wedi ymddeol ers blynyddoedd, dydw i ddim yn meddwl am y busnes wyau fel baich o gwbl. Does dim byd difyrrach na chrwydro'r wlad yn y fan a chyfarfod pob math o bobl a dydi'r amserlen wythnosol ddim yn rhy galed. Dydd Llun, hwyrach, ydi'r diwrnod prysuraf, pan fydda i'n mynd rownd i Bwllheli a gwersyll y Pwyliaid ym Mhenrhos. Mae siopau bach y dref bron i gyd yn gwsmeriaid imi, a Spar yn arbennig o dda, ond dydi'r archfarchnadoedd mwy ddim eisiau nabod Wyau Plas. Cael eu stoc o bencadlys canolog mae'r rheiny. Pacio'r wyau y byddwn ni ar ddydd Mawrth. Ar ddydd Iau neu ddydd Gwener – y ddau yn yr haf – mi fydda i'n mynd â'r wyau o gwmpas y wlad eto. Yn ystod yr haf mi awn ni drwy bron i saith deg o focsys mewn wythnos, efo tri deg dwsin mewn bocs.

Mae mynd o gwmpas fel hyn yn gwneud i rywun sylweddoli mor lwcus ydym ni, yn byw mewn gwlad mor hyfryd. Fedra i ddim meddwl am unrhyw daith brafiach na'r un o Lanaelhaearn drwy Nefyn a Morfa Nefyn, Edern a 'Dweiliog, ac i Aberdaron ar hyd y glannau. Maen nhw'n gwsmeriaid da iawn yn y pen draw 'na, a mantais fawr arall ydi fy mod yn cael boliaid o ginio ar aelwyd fy merch fenga', Medwen. Yn ôl am adra wedyn drwy Sarn, Aber-soch a Phwllheli. Does dim posib cael digon i gyflenwi Aber-soch yn yr haf ond yn y gaeaf mi fedrech saethu ar hyd y stryd heb niweidio neb! Cwsmer gwerthfawr arall ydi'r hufenfa yn Rhydygwystl.

Os bydd 'na ddrama neu rywbeth ar y gweill, fel sy'n digwydd yn aml iawn, bydd rhywun yn cael digon o amser i feddwl wrth fynd rownd y wlad fel hyn. Pan oeddwn i'n godro ers talwm, ac yn trio dysgu geiriau drama, adroddiad neu gân, mi fyddai'r hen feddwl yn crwydro'n bell iawn o'r beudy. Felly'n union mae pethau rŵan yn y fan wyau.

Rydw i hefyd yn cael fy nefnyddio'n aml fel negesydd ar ran gwahanol gymdeithasau, i rannu posteri ar gyfer cyngerdd neu eisteddfod neu gyfarfod. Mi fydda i yn fy ngwaith yn gosod posteri mewn siopau, ac yn mwynhau gwneud hynny. Mae'n dda gen i ddweud 'mod i'n ffrindiau efo'r cwsmeriaid i gyd. Maen nhw'n driw ac yn ffyddlon ac mae hynny'n beth mawr.

Gwasanaeth ydi'r peth pwysicaf. Mae rhywun yn trio cadw at batrwm y dyddiau ond mae'n rhaid bod yn hyblyg ar adegau. Yn aml mi ddaw galwad ffôn gan rywun sydd heb wy ar ôl ac mae'n rhaid neidio i'r fan os ydym ni am eu cadw nhw'n gwsmeriaid. Mae'n anochel bod rhywun yn colli cwsmer ambell dro ond yn aml iawn mi ddaw un neu ddau o rai newydd yn eu lle. Mae'n rhaid gen i bod hynny'n drefn naturiol ym myd busnes.

Mae pobl yn meddwl bod llawer o golledion yn y busnes wyau, a ninnau'n dibynnu ar nwyddau mor fregus ond dydi pethau ddim cynddrwg ag y byddai rhywun yn ei feddwl. Gobeithio na wna' i demtio ffawd, ond does gen i ddim cof o gwbl imi ollwng bocsaid o wyau. Mi wnaeth Jean unwaith, er na fydd hi'n diolch imi am ddweud! Do, mi ollyngodd focs pymtheg dwsin wrth ei gario i mewn i Siop Glanrhyd yn Llanaelhaearn! Mi ddaeth Dai Jones Llanilar atom ni unwaith i ffilmio *Cefn Gwlad* ac roedd y diwedd bron yn anochel wrth iddo fo gario llond trê o wyau yn Nant Gwrtheyrn. Does gen i ddim tystiolaeth fod y peth wedi ei gynllunio ond codwm gafodd o nes bod y llwyth yn drybowndian!

Gyda'r ast ddefaid ym Mhlas Isaf

Fi ydi'r unig un o'r teulu sy'n dal wrthi efo'r wyau a fedra i yn fy myw roi'r gorau iddi! Wn i ddim a fyddai'r teulu yn penderfynu dal ati pe bawn i'n ymddeol. Fel 'Gwil yr Wy' y cyfeiriwyd ataf mewn penillion gan 'fardd' lleol ar ôl imi gael yr anrhydedd o ennill Medal Syr T. H. Parry-Williams yn yr Eisteddfod Genedlaethol yn y Faenol yn 2005. Dydyn nhw ddim yn farddoniaeth aruchel ond gobeithio y gwnewch chi faddau imi am fod mor hyf â'u dyfynnu:

Gwil yr Wy

> Dechreuodd o gystadlu
> yn ddim ond tair blwydd oed
> yn adrodd am y mwnci –
> ni bu ei fath erioed.
> Llwyd o'r Bryn wirionodd,
> daeth seren fawr i'r brig,

Yn ôl yn y cwt wyau

yr oedd o yn ysgubol,
'dio byth 'di cau ei big.

Gwilym Humphrey Griffiths,
Dad a Taid i ni,
Gwil, dyn y ddrama,
Gwilym Plas i chi.
Gwil, dyn yr wyau
a blaenor a'i gân,
y Cymro twymgalon
a'i ysbryd ar dân.

Enillydd Cenedlaethol
ar adrodd lawer gwaith,
arweinydd cymanfaoedd,
arweinydd trip y Paith.
Dysgu unigolion,
yr Urdd a Lleisiau'r Llwyn,
cyfoethogi'r ardal,
gwna bopeth er ein mwyn.

Y Ffyrgi Bach rhwng dau o'i holynwyr mwy modern

Cyfrif Bendithion

Mi fydda i'n amau weithiau nad ydi rhai o'n beirdd Cymraeg gorau, fel T. Rowland Hughes ac I. D. Hooson, yn cael y gydnabyddiaeth maen nhw'n ei haeddu gan y gwybodusion – a hynny o bosib am eu bod nhw'n rhy hawdd eu deall. Ond mae darnau o'u gwaith y bûm i'n eu hadrodd ers talwm yn dal ar fy nghof ac yn mynegi mewn geiriau syml fy nheimladau am bethau dyfnaf bywyd.

Petai rhywun yn gofyn imi ddisgrifio capel bach Llwyndyrys a cheisio cyfleu beth a olyga i mi, fedrwn i ddim rhagori ar y gerdd 'Blychau' gan T. Rowland Hughes. Un o'r 'blychau sgwâr afrosgo trwm' fyddai'n capel ninnau yng ngolwg pobl ddieithr sydd ddim yn ymwybodol o'i gyfraniad. Mae ei werth i ni fel cymuned yn cael ei grisialu ym mhennill olaf y gerdd, er bod yr ansoddair 'mawr' yn ei gor-ddweud hi braidd:

> Nid ydynt hardd, fy ffrind, i chwi,
> ein hen addoldai mawr, di-ri,
> ond hwy a'n gwnaeth,
> o'r blychau hyn y daeth
> ennaint ein doe a'n hechdoe ni,
> os llwm eu llun, os trwsgl eu trem,
> Caersalem, Seion, Soar, a Bethlehem.

Adeilad bach sgwarog yn dal rhyw gant a hanner ydi capel Llwyndyrys, un digon del a glân er na fyddai byth yn ennill medal am ei bensaernïaeth. Ond petai 'na wobr am gadw ardal ynghyd a rhoi hwb i'w bywyd crefyddol, diwylliannol a chymdeithasol am ganrif a mwy, mi fyddai hwn yn ddiguro.

Fo ydi crud y gymdeithas; o'i gwmpas y mae bron bopeth o werth yn y fro yn digwydd.

Bu capel ar y llecyn yma er 1836. Cyn hynny mi fyddai'r Methodistiaid, a oedd wedi gwahanu oddi wrth yr Eglwys Anglicanaidd, yn addoli mewn beudy ar ffarm Tyddyn Felin. Yn 1902 cafodd y capel ei ailadeiladu i'w faint presennol. Rhwng yr hanesion a glywais gan fy mam a'm hatgofion i fy hun, mae gen i syniad go lew sut le oedd ynddo am y rhan fwyaf o'i fodolaeth. Ond doedd pob un o straeon Mam ddim yn rhoi darlun ffafriol o bobl ifanc yr ardal!

Un o'r hen weinidogion y byddai hi'n sôn llawer amdano oedd y Parchedig Lefi Jones. Yn y cyfnod hwnnw roedd cyfarfodydd canol wythnos yn bwysig, sef y seiat a'r cyfarfod gweddi. Byddai Mr Jones yn cyrraedd yno ar foto beic. Roedd i hynny ei beryglon gan fod criw o weision ffermydd yn hel o gwmpas y capel, dwsin neu ddau o bosib, a'r rheiny'n llawn castia. Felly mi fyddai'r gweinidog yn dod â'r beic i mewn i'r portico y tu mewn i'r capel yn ystod y cyfarfod, i wneud yn siŵr ei fod o'n cael llonydd. Ond un noson, pan oedd y seiat yn ei hanterth, dyma rywun yn tanio'r injan nes bod y capel yn diasbedain a phawb o'r golwg mewn mwg. Erbyn i'r peiriant gael ei ddiffodd roedd y troseddwr wedi hen ddiflannu.

Peth arall fydden nhw'n ei wneud, yn ôl Mam, oedd powlio swej mawr trwm i lawr y pasej yn ystod gwasanaeth gyda'r nos. Roedd y lampau paraffîn yn rhoi golau mor egwan fel na fyddai neb yn gweld beth oedd yn digwydd. Maen nhw'n sôn am hogia drwg heddiw – roedd y cnafon yma cyn waethed bob tamaid!

Roedd 'na ddigon o ddireidi yma yn ystod fy nghyfnod innau hefyd, a'r genod cyn waethed â'r hogia. Y drefn ar ddiwedd oedfa oedd bod y dynion yn mynd allan i'r lôn i drafod a hel clecs, a'r merched yn aros yn y portico i wneud yr un peth cyn troi am adra. Roedd stiwdant ifanc wedi bod

*Hen draddodiad canu carolau yn yr ardal. Siôn Corn, Nia a
Mererid ynghanol y plantos*

yma un noson ar ei brawf, i weld a oedd o am gael galwad
yma'n weinidog neu beidio. Mi oedd o'n foi bach digon
golygus mae'n debyg, ond bod ei drwyn dipyn yn hirach na'r
cyffredin. Ystyriaethau felly, yn hytrach nag ansawdd y
bregeth, oedd yn cael sylw'r merched ifanc wrth gloriannu
yn y portico. Fel yr oedden nhw'n trafod dyma'r pregethwr
ifanc yn dod heibio i'w cyfarch a dyma Ella Tyddyn Cestyll,
y waethaf un ohonyn nhw, yn dweud gan rwbio'i thrwyn,
'Wel genod bach, mae'n bryd inni fynd adra, mae'r *nose* yn
hir!'

Dro arall roedd un o genod Penfras yn canlyn mab neu
was ffarm yr Orsedd, Pencaenewydd. Dyma'r un un Ella i'r
capel ryw nos Sul a daeth ei thro i ledio emyn: 'Mae'r orsedd
fawr yn awr yn rhydd ...' gan roi'r pwyslais ar yr 'orsedd' nes
bod pawb yn dechrau chwerthin.

Roedd 'na beth wmbrath o blant yma yn ystod fy
mhlentyndod i ac uchafbwynt y flwyddyn fyddai'r trip ysgol
Sul. Rhyl oedd y lle mwyaf poblogaidd, fel i bob capel arall

yn y gogledd 'ma, ond ambell dro mi fyddem yn mentro ymhellach. Mi fuom yn Blackpool, Southport ac yn Belle Vue, Manceinion. Ble bynnag y bydden ni'n mynd roedd yn rhaid galw yn y Tŷ Hyll ger Betws-y-coed ar y ffordd, er nad oedd o'n newid dim o flwyddyn i flwyddyn.

Fel y soniais o'r blaen, roeddwn i'n rhannu fy Suliau rhwng Llwyndyrys a Llithfaen ar un adeg ac yn cael dôs ddwbl o oedfa, ysgol Sul ac eisteddfod – ac yn eu mwynhau. Unwaith,

Cafodd Gwyn Ffridd a finnau, ein dau yn y cefn, ein codi'n flaenoriaid ar yr un adeg yn nechrau'r 1980au

pan oedd fy nghefnder Gwyn yn aros efo ni yn Plas mi fu Yncl Wmffri yn dysgu adnod iddo fo ei dweud yn y capel. Yr hyn a ddysgwyd iddo oedd 'Na roddwch fwyd cryf i deiliwr rhag iddo ymgryfhau a thorri'r edau'. Doedd Gwyn druan ddim callach ac mi adroddodd yr 'adnod' gerbron y gynulleidfa yng nghapel Llithfaen. Mi fu rhai o'r ffyddloniaid yn cribinio'r ysgrythurau yn chwilio am yr adnod newydd ond roedd taid Gwyn, Tenorydd yr Eifl, yn ddigon golau yn ei Feibl i wybod nad oedd y fath adnod yn bod ac mi redodd ar ôl y troseddwr drwy bentref Llithfaen yn bygwth pob math o ddialedd anghristnogol!

Mi fydd y capel yn rhyw hyw-lawn ar rai achlysuron o hyd, gan gynnwys dydd Nadolig a'r Diolchgarwch. Mi gofiaf inni ddod a gwŷdd i mewn i'r capel un Diolchgarwch, i gynnal arddangosfa o'r hen a'r newydd. Roedd amrywiaeth o offer traddodiadol ar hyd un ochr y capel a modelau plant

Medwen, Dyfed a Nia

o dractors ac ati ar yr ochr arall.

Cafodd fy hen ffrind bore oes Gwyn Ffridd a finnau ein codi'n flaenoriaid ar yr un adeg yn 1983. Rydym ni wedi symud efo'r oes mewn un ystyr, gan fod ein gweinidog presennol yn Fedyddiwr! Mi gymerodd y Parchedig Aled Davies ddwy neu dair o eglwysi'r Methodistiaid dan ei ofal fel gweinidog bro yn ddiweddar ac mae hynny'n gweithio'n wych. Mae Aled yn ffitio'r ardal fel llaw mewn maneg.

Nifer y plant fydd yn penderfynu sut y bydd hi yn y dyfodol a llanw a thrai ydi hynny mewn ardal denau ei phoblogaeth, efo cyfnodau gwan a chyfnodau cryf. Mae plant oed ysgol gynradd yn brin yma ar hyn o bryd ond mae 'na rai bach eto ar y trothwy, a gobeithio y bydd rhai o'r merched ifanc sydd yma rŵan yn dod yn athrawon ar eu dosbarth nhw. Nid gwaith hawdd ydi cadw'r llefydd yma i fynd ond mae 'na gnewyllyn da a ffyddlon yn yr ardal ac mae'n rhaid bod yn obeithiol. Mi fydda i'n ystyried capel bach Llwyndyrys yn un o fendithion fy mywyd.

Peth braf i Jean a finnau ydi gweld ein plant, wyrion ac wyresau yn rhannu rhai o'r un diddordebau â ninnau – ac yn mwynhau hynny, hyd y gallwn weld! Does gan Dyfed, yr hynaf, fawr o awydd mynd ar lwyfan na chanu mewn côr, er bod ganddo lais bariton da. Mi ddaw i ganu efo ni yn y capel ddiwrnod Dolig ond ffarmio ydi'i betha fo, gant y cant, o fore gwyn tan nos. Mae'r hanner can acer o dir oeddwn i'n ei ffarmio ar y dechrau wedi codi i gant a thrigain, ac mae o'n dal tir ar ben hynny. Lle'r oedd Yncl Wmffri a finnau'n godro rhyw ddwsin o fuchod, mae Dyfed yn godro dros ddau gant efo help ei fab hynaf, Ifan, sydd o'r un anian â'i dad. Mae Dyfed hefyd yn cymryd diddordeb mewn silwair, wedi ennill gwobrau drwy Gymru a rŵan yn mynd o gwmpas i feirniadu, a thrwy hynny'n dysgu pethau newydd eto. Byd felly ydi ffarmio heddiw; mae'n rhaid carlamu i aros yn llonydd. Wn i ddim beth ddywedai Yncl Wmffri a oedd mor gyndyn i roi gorffwys i'w geffyl gwedd.

Yr eisteddfod, y ddrama a chyngherddau ydi byd y ddwy ferch, Nia a Medwen. Er bod Nia yn brysur fel prifathrawes Ysgol Morfa Nefyn, mae hi'n weithgar efo'r cwmni drama, yn actores ers blynyddoedd ac erbyn hyn yn rhannu llawer o'r gwaith cynhyrchu. Profiad gwerthfawr iddi oedd cynhyrchu caneuon actol efo'i phlant ysgol ac mi enillon nhw'r wobr gyntaf deirgwaith yn Eisteddfod Genedlaethol yr Urdd.

Mi ddaeth hi ei hun yn gyntaf am adrodd dan bump ar

hugain yn yr Eisteddfod Genedlaethol ac ennill dair neu bedair gwaith yn olynol ar yr ymgom, efo gwahanol bartneriaid bob tro. Mi faswn i wrth fy modd petai hi'n cymryd y cwmni drama drosodd o dipyn i beth, dim ond iddi gael yr amser.

Gwraig ffarm yn Aberdaron ydi Medwen, yr ieuengaf, ac mae hithau'n gwneud ei rhan dros y 'pethe' yn yr ardal honno. Mae hi'n cynhyrchu llawer o bethau yng Nghapel Deunant lle mae criw o blant yn cael hwyl ar adrodd a chanu ac actio. Mi ddaeth ei chwaer Nia o fewn trwch blewyn i ennill Gwobr Llwyd o'r Bryn pan oedd yr Eisteddfod Genedlaethol yn Llanelwedd yn 1993. Mi lwyddodd Medwen i wneud hynny yn Abertawe yn 2006. Roedd pawb yn meddwl mai fi oedd wedi bod yn ei dysgu ond roedd hi wedi gwneud y rhan fwyaf o'r gwaith ar ei liwt ei hun. Ychydig iawn y bûm i'n gwrando arni.

'I Nel am warchod' y cyflwynodd Llwyd o'r Bryn ei lyfr enwog *Y Pethe*. Digon tebyg ydi fy nyled innau i Jean. Fuaswn i ddim wedi medru gwneud chwarter y pethau wnes i yn fy mywyd oni bai amdani hi. Roedd hi bob amser yma pan oedd y plant yn fach a'u tad ar grwydr efo gwahanol weithgareddau. Mae hithau'n ferch 'y pethe' ac wedi cael tipyn o lwyddiant ar lwyfannau. Roedd hi'n actio efo'r cwmni drama ar y cychwyn ac mi ddaeth yn gyntaf am adrodd yn Eisteddfod Genedlaethol yr Urdd Porthmadog yn 1964.

Ei huchelgais pan oedd hi'n ifanc oedd cael hyfforddiant i fynd yn nyrs ond mi aberthodd hynny er mwyn gofalu am rai o'i theulu. Roedd hynny'n beth da i'w wneud wrth gwrs ond mi fyddai hi wedi gwneud nyrs ragorol. Mae ganddi gonsyrn greddfol dros bobl eraill.

O ran y cwmni drama erbyn hyn, does mo'r un rhuthr ag oedd 'na pan oeddem yn cystadlu ond mae rhywbeth ar y

Y tri phlentyn a Jean a minnau

Dyfed yn dangos stoc yn Sioe Nefyn

Priodas Dyfed a Llinos yn Salem, Pwllheli, a Medwen a Nia'n forynion

Priodas John a Medwen yn Llwyndyrys

Priodas Nia a Robin yn Llwyndyrys

gweill bob amser a phawb yn cael cymaint o fwynhad ag erioed.

Roedd y ddrama ddiwethaf a wnaethom yn un o'r rhai mwyaf poblogaidd. Mi ddaeth Anna Jones o Aber-soch atom cyn inni fynd i Batagonia, yn sgil ei chwaer Kathleen. Mae Anna'n llenor a chyfieithydd gwerth chweil, yn ogystal ag actores, a hi fu'n cyfieithu *Love begins at fifty* gan Raymond Hopkins a'i galw'n *Hanner cant, hanner call.* Mae hi'n ddrama ddoniol dros ben ac mi wyddem ein bod ni ar y trywydd iawn yn ystod y perfformiad cyntaf yn Aberdaron.

Yr wyrion a'r wyresau – cyn i Eban gyrraedd,

Medwen wedi iddi ennill y Llwyd o'r Bryn – ac Eban ar ei braich

Un o ddramâu diweddaraf y cwmni - Hanner Cant Hanner Call

Dydi hi ddim yn hawdd cael pobl Aberdaron i chwerthin ond mi wnaethom hynny gydag awch y tro hwnnw ac mi gawsom neuaddau llawn mewn tua ugain o berfformiadau. Yr actorion oedd Anna ei hun, Glesni Hendrecennin, Dic Gwindy, Kit Ellis, Nia, Mari Emlyn a'r hen ffyddloniaid Alun a Peredur. Y peth mwyaf doniol oedd gweld Peredur, sy'n hen labwst mawr, yn actio dyn hynod o ferchetaidd! Nia wnaeth y rhan fwyaf o'r gwaith cynhyrchu, sy'n cadarnhau fy marn y gallai hi wneud olynydd teilwng pe bawn i'n penderfynu trosglwyddo'r awenau – nid fy mod yn bwriadu ymddeol ar hyn o bryd cofiwch.

Wrth gyfri fy mendithion mi fydda i'n meddwl mewn sobrwydd weithiau beth allai fod wedi dod ohonof pe bawn i wedi dilyn y chwiw a ddaeth i 'mhen yn laslanc a mynd i weithio mewn ffatri ym Miwmares. Fedra i ddim dychmygu bywyd yn unman heblaw yma yn fy nghynefin, ynghanol fy mhobl fy hun, dan gysgod gwarchodol Mynydd Carnguwch a Thre'r Ceiri. Mi fyddaf yn aml yn cofio geiriau un arall o'r

*Yr ardal yn ymgynnull ar ôl gwasanaeth bore Nadolig yn y capel,
cyn mynd ymlaen i Hen Felin am baned gan Marian a sieri gan Dic*

darnau y bûm yn eu hadrodd ers talwm, 'Y Gwin' gan I. D.
Hooson:

> Pe cawn fy hun yfory
> Yn llencyn deunaw oed,
> A'r daith yn ail ymagor
> O flaen fy eiddgar droed,
> Ni fynnwn gan y duwiau
> Yn gysur ar fy hynt
> Ond gwin o'r hen ffiolau
> A brofais ddyddiau gynt.

Dyma restr o'r cynyrchiadau a berfformiwyd gan Gwmni Drama Llwyndyrys o 1964 hyd 1995.

1964-74

Priodas Llygad y Geiniog (trosiad o'r Ffrangeg)
Tŷ Clyd, Wil Sam
Y Trydydd Dydd, Sidney Carver, cyf. H. Davies
Cil y Cwm, Gwyddelig
Yr Eryr, N.V. Ellis
Emyr Caradog, Edna Bonnell
Hunllef Huws, Nansi Pritchard
Yr Offeryn, R.G. Jones
Tri Llongwr
Rhwng Te a Swper

1974-84, 1985-95

Hiraeth, G.D. Evans
Mae Rhywbeth Bach, Wil Sam
Llwybrau Tywyll, J.R. Evans
O Law i Law, addasiad H. Davies
Dyn Codi Pwysau, Wil Sam
Unawd ar y Gitâr, J.R. Evans
Pa John? Wil Sam
Y Ddraenen Fach, Gwenlyn Parry
Hwyr a Bore, G. Parry
Y Tri Chyfaill, John Gwilym Jones
Dalar Deg, Wil Sam
Y Tad a'r Mab, John Gwilym Jones
Cymru Fydd, Saunders Lewis
Tewach Dŵr, William Owen
O Lofft i Lofft, Alan Ayckborn, cyf. Eleri Huws
Y Busnes Caru
Dwy Ystafell
Etholedig Arglwyddes, Harri Parri
Tri Picil, Alan Ayckborn
Gwenwyn Dau Wanwyn, William Owen
Tua'r Terfyn, Iwan Edgar

Perfformiadau Cwmni Drama Llwyndyrys yn ystod yr un mlynedd ar ddeg ar hugain cyntaf

Hunangofiannau eraill o Wasg Carreg Gwalch

'Mae'r dramodydd Meic Povey wedi creu sawl cymeriad bythgofiadwy ar lwyfan a theledu dros y blynyddoedd, ond ef ei hun yw'r gwrthrych yn ei waith diweddaraf, a gellid dadlau ei fod yn llawer mwy cofiadwy a lliwgar na'r un ohonynt.' – Tudur Huws Jones, *Daily Post Cymraeg*

'... dyma'r agosaf peth i berffeithrwydd i mi ei ganfod erioed o fewn y byd hunangofiannol ... llwyddodd Meic Povey i droi brwydr a marwolaeth ei wraig yn stori am brydferthwch ac urddas.' – Lyn Ebenezer, *Gwales*

'Dwi ddim yn dal yn ôl – yn bersonol nac yn fy ngwaith.' – Meic Povey, *Y Cymro*

'Mae hon yn llawer mwy na chyfrol ar jazz – mae hi'n gofnod hanesyddol hefyd am Dre'r Sosban pan oedd y lle'n brifddinas y diwydiant tun, cyfnod pan oedd cymdogaeth dda yn rhywbeth llawer mwy nac ystrydeb. Mae hi hefyd yn cofnodi brwydr bersonol Wyn dros gyfiawnder i bobl ddu ...' – Lyn Ebenezer, y golygydd

'Mae Wyn Lodwick fel ei gerddoriaeth – yn gwneud ichi deimlo'n hapus, braf. O fewn munud neu ddwy i'w weld eto, bydd eich hwyliau'n well.' – Dylan Iorwerth, *Golwg*

'... hunangofiant eithriadol ddarllenadwy hwn sy' fel petai yn crisialu statws Wyn Lodwick yn y byd diwylliannol Cymraeg, ei gariad at Lanelli a'i gymeriad hoffus ...' - *Gwales*

Yn ail hanner y ganrif ddiwethaf, roedd plismyn gogledd Cymru yn yn byw, gweithio a cherdded y bît yng nghalon cymunedau Cymreig. Roedd John Alwyn Griffiths yn un o'r rhain, ac yma mae'n rhannu ei brofiadau – o gychwyn fel cadet ym Mangor hyd at ddiwedd ei yrfa fel Ditectif Arolygwr yn yr adran dwyll.

Cawn ein cyflwyno i lu o gymeriadau lliwgar – yn heddlu a throseddwyr – a thrwy ei atgofion doniol cawn gip ar yr agosatrwydd a'r cyfeillgarwch a wnaeth ei gyfnod fel heddwas yn un mor arbennig

Glywsoch chi am yr hogyn bach o Gricieth oedd isho mynd ar y môr?

Cafodd Henry Jones, neu Harri Bach, ei fagu yng Nghricieth, ac yno y mae wedi treulio y rhan helaethaf o'i fywyd, a'i fys mewn sawl briwas! Ar hyd y blynyddoedd, gwisgodd sawl cap – adeiladwr, ymgymerwr, cynghorydd a ffermwr – ond yn fachgen, rhoddodd ei fryd ar gael hwylio'r byd.

Yn y gyfrol ddifyr hon cawn rannu ei anturiaethau, profi ei hiwmor ffraeth a chyfarfod â llu o gymeriadau lliwgar – a darganfod canlyniadau smyglo parotiaid i Gymru!

www.carreg-gwalch.com

Artist yn adrodd hanes ei yrfa – sut y trodd ei ddawn yn ffon fara a sut y trodd o fod yn athro i fod yn rhan o stiwdio gydweithredol

Mae gan Anthony Evans arddull arbennig wrth beintio – mae'n creu canfas fflat, dywyll ac yna'n ychwanegu pelydrau'r golau. Mae hynny'n cyd-fynd â'i athroniaeth hefyd, meddai: 'Mae arlunwyr yn gweithio o'r tywyllwch i'r goleuni.'

Mae'n teithio Cymru yn rheolaidd yn braslunio golygfeydd, yn mynd â'i waith i wahanol orielau ac yn trefnu arddangosfeydd. Mae'n rhannu ei brofiadau am grefft a busnes byd celf yn y gyfrol hon.

Ymhlith y miliynau o gerbydau newydd sydd ar y ffordd fawr ym Mhrydain, gallwch fod yn siŵr fod tua un o bob pedwar yn rhedeg ar deiers a werthwyd gan gwmni o Aberystwyth.

Tyfodd y cwmni o fod yn fusnes undyn yn 1971 i fusnes teuluol sydd bellach yn cyflogi tri dwsin o staff, gan gyflenwi tua hanner miliwn o deiers bob blwyddyn.

Dyma un o'r cwmnïau prin hynny sydd wedi cynyddu ei drosiant a'i elw'n ddi-feth o flwyddyn i flwyddyn, Teiers Cledwyn sy'n cadw'r byd i droi.

www.carreg-gwalch.com

Rhyw aelod dienw o gynulleidfa gyngerdd wnaeth fedyddio Timothy Evans yn Bafaroti Llanbed. Glynodd y llysenw ac fe'i defnyddiwyd yn helaeth gan gyflwynwyr radio a theledu. Mae'n llysenw perffaith ar gyfer y canwr hynaws o Silian.

Ond yno mae'r gymhariaeth yn gorffen. Crwydrodd y tenor Eidalaidd y byd. Casbeth gan Timothy yw crwydro. Anaml iawn yr aiff i unman os na all ddod adre'r un diwrnod. Ei gariad at deulu a bro wnaeth gadw'i draed yn solet ar ddaear Ceredigion.

www.carreg-gwalch.com